A casa dos budas ditosos

João Ubaldo Ribeiro

A casa dos budas ditosos

2ª edição
9ª reimpressão

Copyright © 1999 by João Ubaldo Ribeiro

Grafia atualizada segundo o Acordo Ortográfico da Língua Portuguesa de 1990, que entrou em vigor no Brasil em 2009.

Capa
Kiko Farkas e Felipe Sabatini/ Máquina Estúdio

Imagem de capa
Mrzyk & Moriceau

Preparação
André Marinho

Revisão
Adriana Bairrada
Huendel Viana

Os personagens e as situações desta obra são reais apenas no universo da ficção; não se referem a pessoas e fatos concretos, e não emitem opinião sobre eles.

Este livro saiu originalmente como o quarto volume, dedicado à luxúria, da série Plenos Pecados, lançado pela editora Objetiva em 1999.

Dados Internacionais de Catalogação na Publicação (CIP)
(Câmara Brasileira do Livro, SP, Brasil)

> Ribeiro, João Ubaldo, 1941-2014
> A casa dos budas ditosos / João Ubaldo Ribeiro. – 2ª ed. – Rio de Janeiro : Alfaguara, 2018.
>
> ISBN: 978-85-5652-075-3
>
> 1. Romance brasileiro I. Título.

18-19583	CDD-869.3

Índice para catálogo sistemático:
1. Romance : Literatura brasileira 869.3
Maria Alice Ferreira – Bibliotecária – CRB-8/7964

Todos os direitos desta edição reservados à
EDITORA SCHWARCZ S.A.
Praça Floriano, 19, sala 3001 — Cinelândia
20031-050 — Rio de Janeiro — RJ
Telefone: (21) 3993-7510
www.companhiadasletras.com.br
www.blogdacompanhia.com.br
facebook.com/alfaguara.br
instagram.com/editora_alfaguara
twitter.com/alfaguara_br

Para as mulheres

Tudo no mundo é secreto.

Prefácio a esta edição

Em 1999, a editora Objetiva convidou o itaparicano João Ubaldo Ribeiro para escrever o volume Luxúria da coleção Plenos Pecados, sobre os sete pecados capitais. Quando o diretor Domingos de Oliveira me propôs encarnar a heroína de *A casa dos budas ditosos* no teatro, li o romance certa de que diria não. Ao virar a última página, no entanto, fui tomada por um sentimento de desconforto, como se ali existisse um mistério para além da trama, ou da libidinosa trajetória da diva. Eu demoraria muito — foram longos anos de convivência com o autor de fartos bigodes e seu alter ego de saias — para entender o porquê de ter me sentido quase obrigada a aceitar o convite.

Dois anos depois da estreia, não lembro bem, Ubaldo foi a Salvador para acompanhar a curta temporada na capital soteropolitana. *A casa dos budas ditosos* já havia se transformado num sucesso de público e crítica, arrastando multidões para a bilheteria; fenômeno comum de se ver na música, mas raro de acontecer no teatro. A divulgação do espetáculo anunciava o texto como uma comédia de João Ubaldo Ribeiro. O caráter hilariante das aventuras sexuais da baiana era notório e servia de grande atrativo.

Ao fim da primeira sessão, para o meu espanto, Ubaldo não parecia feliz. No camarim, ele me chamou num canto e, muito sério, confessou o quanto a definição de comédia o incomodava. E foi além. Disse que a gravidade da minha interpretação, que tanto o agradara no início, havia se perdido com o tempo. Eu buscava o riso, avaliou severo, o que transformava seu livro num passatempo vulgar.

No dia seguinte, limamos a palavra "comédia" dos reclames, retomei a antiga grandeza e jurei nunca mais trair o Ubaldo; nunca mais ser barata em cena, ou tratar seu escrito como simples divertimento.

Esta foi uma das primeiras lições que aprendi sobre esse livro de cenas tórridas chulas, narradas em português castiço: o assunto aqui é sério.

Anos mais tarde, numa entrevista que me concedeu, Ubaldo segredou, de forma grave e profunda, que acreditava piamente no conceito de Verdade Revelada. De uma compreensão livre da razão ou do método, que se apresenta ao homem como algo inteiro, potente e incontestável.

O que move a personagem do livro a gravar a própria biografia e enviá-la a João Ubaldo Ribeiro é a vontade de tornar pública uma Verdade que lhe foi Revelada: A Luxúria pertence a Deus, não ao demônio. "Satanás odeia a luxúria, não é invenção dele, assim como a bondade", diz ela. "Eu sou a voz de Deus. Ou uma das vozes de Deus."

Tal qual uma Madre Tereza de liga, espartilho e salto agulha, CLB compreende o quanto de compaixão há no sexo e de santo na orgia. A relação com Deus, tão cara ao autor, é uma das revelações, talvez a maior, contida neste livro.

Mas existem outras, muitas outras maneiras de se ler e interpretar *A casa dos budas ditosos*.

Durante um fim de semana em que nos apresentamos no Castro Alves, Caetano Veloso e Paula Lavigne cederam a casa no Morro Vermelho para que eu e Ubaldo nos hospedássemos. Durante cinco dias, tive o privilégio de conviver com ele. Parecíamos casados. Entre o café, o almoço e a janta, o baiano me contou o que havia de seu nas páginas do livro: a garçonnière, num predinho velho de Salvador, dividida com os amigos de faculdade; a timidez com as moças; a mocinha bi que garantiu não haver menàge a trois melhor do que a de um homem e duas mulheres. Histórias e histórias que lhe serviram de inspiração. Na coxia, depois de uma sessão, fui apresentada a uma senhora gordinha e baixinha, secretária de Ubaldo numa repartição em que trabalhou quando jovem. Surpresa incrível, tratava-se de uma das musas que serviram de modelo para Norma Lúcia, mestra e mentora de CLB. O ex-chefe mal conseguia encarar a ex-subalterna sem cair em gargalhadas marotas, ambos cúmplices das loucuras feitas em vidas pregressas.

A casa dos budas ditosos se confunde com a memória sexual da geração do Ubaldo e, por consequência, com a história da sexualidade do século XX.

* * *

 As lembranças da personagem se iniciam num Brasil arcaico, na fazenda do bisavô João, ainda movida pela mão de obra escravizada. "Não eram escravos, realmente, mas eram escravos." E é com um negrinho do pátio do quebra coco do dendê que ela descobre a sua vocação libertina. O enredo avança pelo doce balanço das normalistas pelas ladeiras de Salvador, entre o assédio dos velhos machos; pelo sexo anal, salvaguarda da "santa virgindade vaginal", no murinho inclinado do Farol da Barra; até chegar a sedução metódica de um professor de penal, no tocante desvirginamento. Livre do hímen, CLB despacha o noivo insosso e se lança na revolução de costumes dos anos 1960. O tio babão de saudosos sarros financia seus estudos numa universidade pra frentex da Califórnia onde, entre padres e freiras adeptos do sex, drugs and rock 'n' roll, a baiana conclui o pervertido mestrado. De volta à Bahia, em pleno golpe militar de 64, ela tenta, em vão, curar a esquerda engajada da brochura crônica, mas é no Rio de Janeiro dos anos 1970, durante a "época de ouro do pó", que atinge a sua maioridade libidinal. O longo arco se fecha na terceira idade da sedutora guerreira, já perto do fim do milênio, com um contrato firmado em cartório com um jovem Adônis iletrado, a quem garante salário, férias e 13º, em troca dos serviços prestados.
 Da sinhazinha do engenho à pragmática sessentona de fim de século, CLB demole, década após década, os impedimentos das morais vigentes. "Eu gostaria de um mundo de sacanagem sem problema. É dificílimo", confessa, incitando o leitor a patolar o vizinho, sem distinção de cor, credo ou idade. Há, porém, limites para a pleno exercício de tamanha devassidão. Não à toa, CLB é rica e estéril. A maternidade e a pobreza, quem sabe, frustrariam uma existência tão franca e aberta.
 Depois de mais de mês narrando todos os tipos de foda, tara, gozo e sedução, trancada com o Domingos de Oliveira numa sala de ensaio, lembro de ele comentar que era melhor convidar alguém para assistir porque já não considerava mais nada chocante. Esse é um dos efeitos colaterais do livro que você tem nas mãos. A inteligência, a naturalidade, a racionalidade inatacável com que a personagem

defende o sexo como instrumento de libertação, compõem uma tese tão bem construída que não há como chegar na última página sem se reconhecer reprimido, e doido para reverter o quadro.

Luxúria é vício e danação, essa é a crença. Costumamos tratar a pornografia como algo destituído de afeto. Um nheco-nheco mecânico, que não permite o amor, a compaixão ou a bondade. Foi Domingos de Oliveira que me revelou o romantismo da personagem. Todas as grandes guinadas acontecem graças às paixões de CLB. Observem. O negrinho, tio Afonso, Norma Lúcia e o rapaz de feromônios extraordinários; o professor de penal, o companheiro Fernando e Rodolfo, o marido irmão; a aeromoça Marina e Paulo Henrique, o garotão adotado. CLB os nomeia, entre as centenas de corpos que lambe, traça e engole. Ela os descreve com um fervor agudo, pontudo como um orgasmo. Amor e sexo, quando sinônimos, revelam-se belos e brutais. *A casa dos budas ditosos* é também uma obra romântica.

E política.

"Eu sou uma feminista, esclarecida, progressista", brada a baiana, antes de matar o tio de infarto.

Quando estreei, e lá se vai mais de uma década, todas as questões ligadas ao assédio, ao machismo, ao puritanismo, ao fundamentalismo religioso e ao politicamente correto estavam apenas engatinhando. Hoje, elas pautam o noticiário, a Justiça, os meios de comunicação, as relações pessoais, profissionais e a famigerada internet. Mais do que nunca, a baiana se faz necessária. É preciso lê-la e relê-la, aprender com o criador e também com a criatura, que viveram em eras mais humanas e livres que a nossa. Em muitos aspectos, caminhamos para trás.

Com seus pés fincados no poder da libido, CLB é antídoto para todo e qualquer moralismo. É a mulher na potência máxima, que veio à Terra expiar a culpa que a antiguidade lançou sobre Eva e Pandora. CLB é um Cristo às avessas, carnificada para nos redimir de uma moral que tolhe e entristece.

CLB é uma baita invenção desse baiano chamado Ubaldo, um dos maiores contadores de causo que já conheci. Hipnótico como um encantador de serpentes, barroco como as igrejas da primeira capital e dotado de uma voz de baixo profundo de ópera, carreira que só não abraçou porque o pai severíssimo o impediu debaixo de sova.

A cadência da narrativa e o uso impecável de pontos e vírgulas, os cortes abruptos de certos capítulos, como o em que a personagem, mesmo estéril, opta pela ligadura de trompas; a imaginação ferina, farta e furiosa. As volutas de raciocínio lógico, porém absurdo. O apego ao detalhe, a capacidade de nos fazer ver, cheirar, sentir, tudo fascina. Eu cresci avessa aos advérbios, até Ubaldo me esfregar na cara os encantadorissimamentes, machissimamentes e abissalmentissimamentes desse romance. Escritor rigoroso, o baiano é clássico, chulo, requintado, cerebral, passional, trágico, cômico e universal. Como resistir a essa devassa de bigode e voz grossa? A esse Ubaldo travestido de fêmea?

Virgem leitor, prepare-se para ser enrabado, lambido, gozado, seduzido, abusado, amado, abandonado, explorado, tentado e virado do avesso pela luxúria de um imortal. Bem-vindo ao paraíso perdido de João Ubaldo Ribeiro.

Fernanda Torres

No final do ano passado, depois que alguns jornais noticiaram que a editora responsável por esta publicação me havia encomendado um texto sobre o pecado da luxúria, os originais deste livro e o recorte da nota de um dos jornais em questão foram entregues por um desconhecido ao porteiro do edifício onde trabalho, acompanhados de um bilhete assinado pelas iniciais CLB. Informava que se trata de um relato verídico, no qual apenas a maior parte dos nomes das pessoas citadas foi mudada, e que sua autora é uma mulher de 68 anos, nascida na Bahia e residente no Rio de Janeiro. Autorizava que os publicasse como obra minha, embora preferisse que eu lhes revelasse a verdadeira origem. "Não por vaidade", escreveu ela, "pois até as iniciais abaixo podem ser falsas. Mas porque é irresistível deixar as pessoas sem saber no que acreditar." Assim foi feito, e com justa razão, como o leitor haverá de constatar, após o exame deste depoimento espantoso.

Embora não tenha tido dificuldades extremas para a edição do texto, é meu dever prazeroso agradecer a Andreia Drummond pela paciência e afinco na decifração de muitas emendas manuscritas, a Maria de Lourdes Protásio Benjamin pela mesma razão e a Geraldo Carneiro, por sua valiosa ajuda no esclarecimento de algumas passagens, em que a revisão dos originais parece não ter atentado a problemas certamente ocorridos na transposição das fitas gravadas para o papel. Essa ajuda também foi fundamental para a divisão do texto em seções e parágrafos, bem como para a inserção de raros trechos em discurso direto e diversos acertos de pontuação, com o que creio que somente facilitamos a leitura, sem alterar o sentido de forma significativa. Mantivemos também inúmeros "erros de português", com o fito de preservar, tanto quanto possível, a oralidade dos originais.

Pela transcrição

João Ubaldo Ribeiro
Rio de Janeiro, maio de 1998.

Essa noite eu tive um sonho. Grande bobagem, nada disso. Não era assim que eu queria começar, não é assim. Essa noite eu tive um sonho — parece diário de colégio de freiras, não é nada disso. Mas, de fato, eu tive um sonho. Um sonho inesperado, com aqueles dois budazinhos ali. Antigamente eu sonhava muito com eles, mas parei faz décadas, tudo faz décadas. São muito pequenininhos, os detalhes se perdem, comprei num camelô de Bangcoc, é um objeto sentimental. Não lembro onde li a respeito de dois budinhas, um macho e uma fêmea fazendo sexo, essas coisas milenares de chinês, nunca entendo direito, misturo as datas, apronto a maior confusão. Havia uma espécie de templo, a Casa dos Budas Ditosos — não é bonitinho, a casa dos budas ditosos? eu acho —, com imagens iguais a essas, só que enormes. Os noivos, antes do casamento, iam lá para venerar as estátuas e passar as mãos nos órgãos genitais delas. Era uma espécie de aprendizado ou familiarização, uma introdução a um casamento bom na cama. Eu acho de um bom gosto delicadíssimo. Em Roma antiga, houve um tempo em que as noivas acariciavam a glande de Príapo, ou se sentavam nela. Pelo que eu li, a glande mais usada, a glande pública, por assim dizer, devia ser uma verdadeira poltrona. Príapo foi substituído por são Gonçalo, no nosso politeísmo católico. Os católicos são politeístas. Desculpe, se você é católico. Aliás, naturalmente que eu também fui criada como católica, tinha aulas de catecismo, fiz primeira comunhão vestida de organdi branco, só falava o estritamente necessário na sexta-feira santa, só comíamos peixe toda quinta-feira e assim por diante. Mais ainda, fui criada para considerar os protestantes gentinha e ficava com raiva de Lutero, que me parecia a feição do demônio, nos livros de história geral. Levei um certo tempo para me livrar dessa estupidez, veja você; hoje, tenho até bastante afinidade com os protestantes, exceto os calvinistas e, óbvio, esse pentecostalismo histérico e de baixa extração, que ora nos assola. O magistério da Igreja me enerva. Prefiro eu mesma ler a Bíblia e pensar do que leio o que me parece certo pensar, quero eu mesma me inteirar das boas-novas, sem nenhum padre de voz de tenorino gripado me ensinando incoerências, subestimando minha inteligência e repetindo baboseiras inventadas, semelhantes à desfaçatez de afirmar que no Pentateuco há mandamentos como guardar castidade, que os homens santos não batizados foram para um tal de limbo e tantas outras criações conciliares, já li a Bíblia de cabo a rabo e nunca vi nada disso nela. E por que também não observam o que também está lá, no Levítico? Fingem que não está. E o papa é vigário de Cristo? Certos papas, todo mundo sabe o que foram certos papas, todos infalíveis e tantos safados. Enfim. Não vou falar mais nisso, perda de tempo.

Além de tudo, não há nada de mais em ser politeísta, de certa forma é muito melhor do que ficar acreditando somente num Deus impossível de compreender. E, ainda além de tudo, já estou cansada de não dizer o que me vem à cabeça e olhe que nunca fui muito de agir assim, mas o pequeno grau em que fui já é demais para mim. Ainda me restam alguns penduricalhos desse legado imbeciloide, de que tenho de me livrar antes de morrer. A doença, esta doença que vai me matar, também contribui para meu atual estado de espírito. Não sei quem foi que disse que a perspectiva de ser enforcado amanhã de manhã opera maravilhas para a concentração. Excelente constatação. Nada de pessoal com ninguém, não falo para ofender ninguém em particular, é como se fosse uma atitude filosófica genérica. Meu avô materno era aristocrata, elegantíssimo, falava francês e alemão fluentemente, esteve várias vezes na Europa, era cultíssimo, mas, depois que passou de uma certa idade, peidava em público. Assisti a ele peidar na frente do interventor, na época do Estado Novo. O interventor tinha ido almoçar com ele e, depois do almoço, ficaram conversando na sala de estar, com meu avô volta e meia levantando os quartos e soltando vento aos trovões. Quando minha avó reclamava, ele dizia que o que está preso quer ser solto e todo mundo peidava, inclusive o interventor, então não era ele que, àquela altura da vida, ia arrolhar um peido. Quem quisesse que arrolhasse, mas ele não.

Mas, sim, mas então eu estava dizendo que os católicos são politeístas, botaram os santos no lugar dos deuses especializados. Os gregos e os romanos tinham um deus menor para cada coisa, regras atrasadas, artistas falidos, transações impossíveis, dívidas falimentares, casamentos, músicos bêbedos, agricultores, criadores de cabra, tudo, tudo, tudo. Os católicos substituíram os deuses pelos santos. Os músicos? Santa Cecília. Os ruins da vista? Santa Luzia. As solteironas? Santo Antônio. E por aí vai, como você sabe. Até lugares. São José de Não Sei Onde? Diana de Éfeso, a mesmíssima coisa. Os deuses não foram derrotados ou eliminados, continuam imortais como sempre foram e somente mudaram de nome, se adaptaram às mudanças. Eu pronuncio verdadeiras conferências sobre isso, sou a rainha da conferência, às vezes devo ficar chatíssima. Mas pode permanecer tranquilo, que eu não vou fazer conferência para você, afinal você está sendo pago, temos que trabalhar, vamos trabalhar. Somente uma última referenciazinha a são Gonçalo, porque agora já comecei e sou compulsiva; comecei, tem que acabar. São Gonçalo não existe. Ou melhor, existe, mas nunca existiu. Para a Igreja, não há nenhum são Gonçalo, nunca houve. Mas se declarou, na minha opinião por falta de Príapo, uma grande lacuna, que clamava por ser preenchida. Não existe são Gonçalo, mas já vi procissão dele com padre e tudo, e as mulheres cantando obscenidades baixinho, é um santo deflorador e consolador para as solitárias. No arraial junto à fazenda da ilha, segundo até meu avô contava, havia uma imagem de são Gonçalo com um falo de madeira descomunal, maior que o próprio corpo dele. O corpo era de barro, mas o falo era de madeira de lei e fixado pela base num eixo, de maneira que, quando se puxava uma cordinha por trás, ele subia e ficava ali em riste. Eu nunca vi, mas as negras velhas da fazenda garantiam que antigamente, todo ano, faziam uma procissão com essa imagem de são Gonçalo e as mulheres disputavam quem ia repintar o falo, era sucesso garantido no mundo das artes, para não falar que a felizarda ficaria muito bem assistida nos seguintes trezentos e sessenta e quatro dias.

Claro! É simples, é porque eu queria botar um título, mas é claro! Eu sou como dizem que Buñuel era: meu método de exposição é a digressão. Eu sei que estou muito longe de estar senil. Evidente que eu delirei um pouco, mas eu sempre delirei, e são Gonçalo me fascina, eu tinha razão em lembrar o sonho. Claro, é por causa do título. Tire isso da gravação. Aliás, não, depois você tira tudo da gravação, a gravação inicial só começa quando eu disser. Não tire nada agora. Deixa que eu tiro, quando você passar tudo para o papel. É melhor, vamos deixar fluir, depois eu faço a triagem, boto ordem etc. Calma, calma. Não sei nem por que este... Como é o nome disto, disto que nós estamos produzindo? Vamos dizer, um depoimento sócio-histórico-lítero-pornô, ha-ha. Ou sociohistoricoliteropornô, tudo grudado, deve ficar lindo em alemão. Sim, não. Sim, não sei nem por que este depoimento tem que ter título, mas por que não? Esses dois budas... Depois eu falo sobre esses dois budas, agora não é o caso. Me lembre, é uma história muito interessante. Mas no momento eles me interessam por causa do título. Eu acho bonitinho, com um som meio aliterante — a ca--sa-dos-budas-ditosos —, acho simpático. Este depoimento *hereby* se chama "A casa dos budas ditosos". É bom, até porque não quer dizer nada, como todo bom título de qualidade literária. O sujeito vai ler e pergunta por que esses budas, é capaz das explicações mais desvairadas. Quanta gente vai ler este depoimento, como será que ele vai ficar, será que alguém vai ler? Vai, sim, armei um esquema mais sofisticado do que o dos filmes de espionagem. Você faz parte, mas não vou lhe contar como, não tem importância. Você transcreve as fitas aqui, deixa as fitas aqui, tudo o que vai restar é a sua palavra. Que pode vir a ser útil, nunca se sabe. Conte a história, minta bastante se quiser, diga que é tudo verdade, e é mesmo. No começo, achei que ia escrever só para mim e deixar para algum morador de Fulânia, Sicrânia ou Beltrânia, com grande escândalo e engasgos pudicos, tentar explicar tudo de acordo com seus padrões empedrados — ô espécie esculhambada que nós somos, que tempo nós perdemos, quando há tanta coisa a descobrir! Fulânia, Beltrânia e Sicrânia eram os países fundados por uma grande amiga minha, Norma Lúcia — depois vou falar mais nela, é imprescindível —, todos habitados por velhacos como o velho Pedrão, professor de direito romano, depois eu falo nele, que moravam em outros países, moravam em outros mundos. Fulânia, Beltrânia e Sicrânia, bons patifes, eles moram lá e eu cá. Mas não vou deixar isso a cargo deles, não confio na posteridade. O título que eu ia botar era "Memórias de uma libertina", mas não vou mais botar, é bom gosto demais para esse povo que nunca leu Choderlos de Laclos, não vou desperdiçar, jogar pérolas aos porcos. Em Fulânia, Sicrânia e Beltrânia, não se pode ser realmente fino, com um título fino desses; tem que ser pseudofino como eles, pronto, a casa dos budas ditosos satisfaz, satisfaz, é mais tranquilo, me garante contra irritações geradas pela burrice e pela ignorância. Claro que no fundo odeio esse título de bom gosto ao qual acabo de ceder, mas cedo, de resto vão todos pastar, em verdade vos digo. Não cheguei ao ponto ótimo como meu avô, não tenho coragem de fazer o que ele fazia em público, ainda estou amarrada a uma porção de penduricalhos absurdos. É uma pena, porque memórias de uma libertina seria tão melhor do que essa bichice dos budas ditosos, mas não se pode ter tudo neste mundo, tome-lhe budas misteriosos. Quem é burro pede a Deus que o mate e ao diabo que o carregue. No começo, achei que ia deixar estas delusões — como dizia meu professor de medicina legal — para serem publicadas depois de minha morte. Mas num instante vi que era burrice, nada vale a pena depois da morte, eu quero é passar na rua e ver as caras das pessoas que leram, todo mundo fingindo que não é nada com eles. Nada desse negócio pequeno-burguês de depois da morte. Antes da morte, tudo antes da morte, é ou não é? E, por outro lado, me arriscaria a eles darem um jeito de destruir os originais, não me pergunte como, eles são diabólicos.

A casa dos budas ditosos. *One, two, three*, tudo bem? A casa dos budas ditosos. Prefácio, introdução, nota preliminar, qualquer coisa assim. Decidi dar este depoimento oralmente, em lugar de escrevê-lo, por várias razões, a principal das quais é artrite. Cortar isso, gracinha boba, eu não tenho artrite, nem faço planos de ter. Muito bem, prefácio. Decidi fazer este depoimento inicialmente de forma oral, em vez de escrita, pela razão principal de que é impossível escrever sobre sexo, pelo menos em português, sem parecer recém-saído de uma sinuca no baixo meretrício ou então escrever "vulva", "vagina", "gruta do prazer", "sexo túmido" e "penetrou-a bruscamente". Falando, fica mais natural, não sei bem por quê. Que mais? Gostaria de ter jeito para falar inanidades labirínticas como certos psicanalistas ou sociólogos, ou um desses pensadores franceses, desses que costumam aparecer nos cadernos de cultura dos jornais, para, na maior parte dos casos, sumir imediatamente após, e que não dizem nada, mas intimidam as pessoas com seus relambórios. Mas não sei fazer isso, é uma das minhas deficiências. Esquecer.

Sim, mas que mais? Sempre achei chique — deve ser subproduto de algum trauma de infância — botar no frontispício "qualquer semelhança etc. etc.", mas, no caso, o contrário. Atenção. Qualquer semelhança estará bem inferida. Não, não, muito pernóstico, qualquer semelhança não é coincidência, nenhuma semelhança é coincidência. Nomes trocados para proteger culpados. Quem puser a carapuça pode ter certeza de que está bem posta. Não, não, estou achando isto um pouco metido a engraçado. Vou reeditar tudo, quero um prefácio decente. Vamos anotar uns tópicos, depois eu desenvolvo. Um, tópico um. Ser mulher, ser coroa? Não. Não, não, não! Depois eu arremato este prefácio, ou não faço prefácio. Meu avô — o outro avô, o alemão, um prussiano insuportável, nazista de nascença como todo alemão, embora tenha morrido se proclamando antinazista, como também todo alemão — dizia que tudo o que precisava de prefácio, inclusive emprego e mulher, nesta ordem de precedência, não valia nada. Principalmente mulher, acho eu, porque a livro ele não dava muita importância, a não ser para esculhambar e querer queimar todos. Ele só não gostava de Hitler porque Hitler era bávaro e malnascido, não por causa do nazismo. Dava churrascos, ficava bêbedo e queimava livros. Comprava muitos, para depois queimá-los nos braseiros do churrasco, um livro de Eduardo Prado, muito famoso na época. E fazia discursos, afirmando que os brasileiros eram estúpidos, os únicos inteligentes eram os antropófagos, não sei bem o que ele queria dizer com isso. Minha mãe contava que Eduardo Prado era lindíssimo, de cabelos revoltos e farfalhantes, ao vento do viaduto do Chá. Uma senhora o viu uma vez, contava minha mãe, não se conteve e exclamou: "Mas que homem bonito!". E ele respondeu: "É do ar do prado, minha senhora". Ha-ha. Meu pai tinha um terror patológico de ser corno, e minha mãe sabia disso e então, muito sacanamente, genialmente sacanamente, minha mãe era uma enciclopédia do sacanismo, fazia ares sutilmente ambíguos e então falava em Eduardo Prado, falava em Douglas Fairbanks, Rodolfo Valentino, Ramón Navarro, imitava Mae West, recitava Byron e Castro Alves com caras e vozes de orgasmo, chamava Castro Alves de Cecéu como se houvesse ido para a cama com ele no dia anterior, era um martírio a que o velho tinha de se submeter calado, por uma questão de coerência entre o que professava e o que realmente sentia, ele era muito liberal de boca, coitado de meu velho, morreu moço, mais moço do que eu hoje, sessenta e seis anos. Pronto, não faço prefácio. Depois eu vejo, *decisions, decisions*. De qualquer maneira, fica aí o registro. Depoimento oral, tatatá, tatatá, já falei isso, porque é mais fácil dizer palavrão do que escrever palavrão, há exigência de passaporte para as palavras passarem do falado ao escrito, algumas não conseguem nunca, a humanidade é muito estranha. Que mais? Explicar que sou um grande homem e não digo que sou uma grande mulher pela mesma razão por que não existe onço, só onça, nem foco, só foca, tudo isso é um bobajol de quem não tem o que fazer ou fica preso a idiossincrasias da língua, como aquelas cretinas feministas americanas que queriam mudar *history* para *herstory*, como se o *his* do começo da palavra fosse a mesma coisa que um pronome possessivo do gênero masculino, a imbecilidade humana não tem limites. Sou um grande homem fêmea, da mesma forma que os grandes homens machos são grandes homens machos, fica-se catando picuinha porque o nome da espécie é por acaso masculino e não neutro, como é possível que seja em alguma outra língua, como se a gramática resolvesse alguma coisa nesse caso. Explicar isso, não existem grandes homens e grandes mulheres, existem grandes homens machos e grandes homens fêmeas. Não há nada mais ridículo do que galeria de grandes mulheres isso e aquilo, fico morta de vergonha. A espécie é humana, como *Panthera uncius*, *Panthera leo*, um onça, no feminino por acaso, outro leão, no masculino por acaso, questão de língua, exclusivamente. Explicar isso como quem explica a um marciano. A um terráqueo. Escuta aqui, terráqueo, deixa de ser débil mental. Bem, ambições inúteis, vamos ao trabalho. Que mais? Nada, estou em grande dúvida quanto a este prefácio. Rever necessidade de prefácio.

    Odeio dizer isto, mas a verdade é que estou um pouco nervosa. Minha família sempre desprezou qualquer forma de frescura, fui criada assim. Minha família não vale nada, mas é ótima, principalmente os mais antigos. Temos ancestrais fantásticos. Tudo bandido, e eles se escondem por trás daquelas baixelas e daqueles pratos de antes da

Primeira Guerra e daquelas maneiras de lordes das Índias Ocidentais. Meu avô era, como eu já disse, era prussiano, prussiano de Brandemburgo, abominava todo mundo, com exceção de Frederico II. A ideia dele de um grande programa na Europa era passar quatro dias em Potsdam, babando dentro da *Orangerie* e sonhando em empalar poloneses. Grande família. A mulher dele era católica da Vestfália, só tomava banho sábado e nunca ria, a não ser gargalhadas histéricas que duravam horas, geralmente aos domingos, depois da missa e antes dos repolhos hediondos. Tremenda família. Só conheço meus bisas pelos retratos ovais, espalhados por aí. Os dos museuzinhos, não levo em conta, só lembro que meu bisa João me assombrava com uns olhos horripilantemente biliosos, num retrato cercado de louros, na sala grande da casa da fazenda de Lençóis. João teve imensos escravos, e um antigo jornalista baiano, desses que a gente finge que lembra e é nome de rua em Brotas, publicou seis números da destemida gazeta independente e republicana "14 de agosto", esse jornalista, como é mesmo o nome dele, escreveu — hoje ninguém acredita, a humanidade é burríssima mesmo — que meu bisa tinha descoberto a cura da gagueira. O canalha falsificou documentos e a própria alma — você acredita que o pulha era mulato? pardo, como se dizia mais nessa época — e inventou uma porção de coisas sobre não sei quantos escravos, pelo menos duas dúzias, em cujas bocas meu bisa mandou enfiar ovos quentes, ele adorava enfiar um ovo quente na boca de alguém sob qualquer pretexto, ou mesmo sem pretexto, dizem até que meteu um na boca de minha bisa Sinhazinha, mulher dele. Os ovos realmente ele mandava enfiar, mas evidente que seu efeito foi inventado pelo jornalista. Seis desses escravos, disse aquele crápula, eram gagos e ficaram bons da gagueira, depois dos ovos quentes. Claro, ele não defendia que se pusessem ovos quentes na boca de ninguém, mas que se aproveitasse a lição, a ciência médica podia encontrar um meio para curar esse aflitivo mal da fala através de uma terapia inspirada nisso, imagino que talvez um ovo não muito quente, em várias aplicações. O homem é muito ingrato para com seus benfeitores, como dizia minha tia-avó Inês, que tinha horror de preto e chamava de cu-de-luto qualquer branca que dormisse com negro ou raceado.

Vejo tudo como se fosse hoje. A velha casa-grande do Outeirão, que já peguei com as paredes cobertas de limo de verde a retinto, insetos por tudo quanto era canto, jias que no inverno miavam como gatos, plantas estalando, as telhas se entrelaçando com cipós e uma ou outra cobra cor de esmeralda, o resto da chuva ainda pingando das árvores nas plantas de folhas grandes embaixo, uns fedores e cheiros mornos saindo das rachas nos pisos de lajota, passarinhos cantando e piando, uns azulejos desmaiados nas paredes do varandão, umas quatro galinhas brabas ciscando debaixo das touças de bananeira, pedras soterradas pela lama, calangos trepando pelos troncos das mangueiras, duas ou três mutucas zumbindo e, apesar de tudo, um silêncio que chegava a doer. Isso. Foi nesse dia, nessa grande casa velha embolorada, que tinha uma estante de sucupira crua que as goteiras haviam empenado nas juntas. Já conhecia muito aquela estante, mas, mesmo assim, ou talvez por causa disso mesmo, fui mexer nos livros enrugados pela umidade, com as páginas tresandando inesquecivelmente e, a cada uma que eu folheava, essa exalação me trazia um arrepio no meio das costas e me deixava enlouquecida. Havia todos os tipos de livro. Lembro bem do O *Guarany*, com ípsilon, ilustrado pela figura de Pery, também com ípsilon, que eu achava que mostrava um volume fascinante do lado esquerdo da tanga de espanador, de Salambô, estampando uma mulata quase nua na capa, D. Quixote de ceroulas em meio a alucinações, uma coleção encadernada de Anatole France se desmanchando, tudo, tudo. Como seria a voz de meu bisa João Ferdinando Bibiano Rafael, mandando enfiar ovos quentes na boca dos outros? Como seria?

Sou fixada na fase oral, fase oral canibalista certamente, adoro qualquer forma de ingestão. Nessa época, eu já estava bem fixadinha, hoje isso é perfeitamente claro. Não sou chegada à psicanálise. Lá em casa, desde muito antes de Freud, com certeza, sempre se achou obsceno ficar contando intimidades e fraquezas a um estranho, mas de vez em quando uso uma frase que aproveita o jargão dos psicanalistas, acho que é meio inevitável na minha geração, não sei. Então, na falta de melhor observação, eu tenho certeza de que me encaixo nessa situação de fixada na fase oral, passei anos sem entender nada, e essa noção quebra meu galho. Porque sempre achei gostoso ingerir, a não ser por via venosa, e venho continuando vida afora, apesar de hoje em dia estar um pouco blasée. Então eu ficava cheirando aqueles livros e tendo arrepios. Ainda cheiro, mas só livros velhos e, como disse, estou um pouco blasée. Deve ser coisa da idade, certamente é a idade, embora, é claro, eu não me considere velha. Mas já vivi quase sete décadas, alguma coisa sucede nesse tempo. Confusão, estou fabricando uma tremenda mixórdia. Será que estou fazendo psicanálise? Pavor, ouvido de aluguel, pavor. Bem, de certa forma, você e esse gravador são ouvidos de aluguel. Sei lá. É, deve ser coisa da idade, eu abomino a expressão "terceira idade", hipocrisia de americano, entre as muitas que já importamos, americano é o rei do eufemismo hipócrita. Não suporto velho, velho mesmo, metido a alegre, velhice é uma desgraça, não traz nada que preste. Cortar isso tudo acima, eu mesma acho que não entendi nada do que acabei de falar. A gente fica a mesma e não fica a mesma. Ih, chega, preciso botar alguma ordem nisto e até os delírios precisam ser pelo menos um pouco organizados sob algum critério, é preciso dar método à loucura, mais ou menos como Polônio falou da piração de Hamlet. *Thy son is mad, but there is method in his madness*, não foi isso que ele disse, mais ou menos? Eu gosto de Shakespeare, leio desde menina, mesmo no tempo em que não compreendia patavina. Aliás, será que compreendo hoje? Ninguém compreende nada, seja da vida, seja de Shakespeare, que morreu mais de dez anos mais moço do que eu, sem saber que era Shakespeare, Voltaire desancou Shakespeare, todo mundo desancou Shakespeare, a vida... Ih, chega!

A vinda dele, o nosso encontro, isso era o que eu ia contar, para finalmente começar o depoimento. Sem frescura, basta de frescura. A vinda dele eu posso dizer sem nenhum constrangimento, foi meio violenta, ou bastante violenta, se você quiser. Ele brincava comigo e meu irmão Otávio, a gente gostava dele, minha avó de vez em quando deixava que ele almoçasse com a gente, mas ele era somente um dos negrinhos da fazenda, naquele bando de escravos que meu avô tinha. Não eram escravos oficialmente, mas de fato eram escravos, e a maior parte vivia satisfeita, fazendo filhos e enrolando meu avô. Figura interessante, meu avô peidão, pena que eu não tenha tido a oportunidade, física e psicológica, de conviver mais com ele, não havia como, embora ele gostasse de mim e eu dele. Acho que ele sabia que era enrolado o tempo todo. Acho que não, ele sabia, mas claro que não ligava, ele era uma postura pragmático-egocêntrica ambulante, não pode mais existir gente como ele, naturalmente.

Aí eu, sem que nem pra quê, muito de repente, cheguei para esse negrinho, no pátio da quebra de coco de dendê, e disse: "Hoje de tarde esteja na casa-grande velha, na hora em que minha avó estiver dormindo. Sozinho e não diga a ninguém". Ele estranhou e disse que não podia porque ia ter de catar ouricuri com a mãe e ficou revirando os olhos para cima e levantando os pés como se marchando sem sair do lugar e esfregando as orelhas com uma careta, como se quisesse removê-las da cabeça. "Mentira", disse eu, "mentira sua, hoje é domingo. Você vai, ou eu conto a meu avô que você tomou ousadia comigo e ele manda lhe capar, como mandou capar finado Roque, seu tio, você sabe que meu avô mandou capar ele, porque ele se ousou com uma rapariga dele." E ainda dei um tapa forte, estalado mesmo, na cara dele. Ele estremeceu e, se preto pode ficar lívido, ficou lívido. Aliás, preto fica lívido, engraçado, você nota os lábios pálidos. Mas não disse nada, e eu ainda fiz menção de dar outro tapa e só não dei porque não tinha planejado nada daquilo e estava meio sem entender a situação e também me deu uma espécie de gana de continuar batendo e ao mesmo tempo uma sensação desagradável, como se tivesse medo de alguma coisa, não sei bem descrever esse momento. Em todo caso, depois de marchar parado e esfregar as orelhas novamente, ele respondeu que ia, e eu senti uma cócega funda me subindo das coxas para a barriga. Senti muitas outras vezes essa cócega, até hoje sinto, mas nunca como nesse dia.

Quando ele chegou, parou bem embaixo da arcada do salão, com aquele calção de saco de aniagem sem nada por baixo, vi logo que era uma ereção impetuosa, uma força irresistível forçando o pano quase no meio da coxa esquerda, e ele cruzou as mãos por cima, numa posição que agora eu talvez possa considerar engraçada, mas na hora não me

pareceu. Senti a cócega na barriga outra vez, mas ao mesmo tempo não gostei. Não sei direito por que não gostei, mas na hora achei que foi porque fiquei pensando em como era que aquele negrinho, aquele projeto de negrão, aliás, sabia que tinha sido chamado para sacanagem. E se eu quisesse somente pegar passarinhos, mostrar a ele os livros e lhe ensinar algumas letras do alfabeto? Só me lembro disso, embora tenha certeza de que muito mais se passou atropeladamente por minha cabeça, e meu fôlego ficou acelerado. Então veio o estupro, um inegável estupro. Domingo, e o nome dele era Domingos. Rodei os olhos por aquelas paredes, apareceu na minha cabeça padre Vitorino na aula de catecismo, dizendo que domingo queria dizer o dia do Senhor, *dominus vobiscum et cum spiritum tuum introibo ad altare Dei ite missa est*, aqueles latins do outro mundo e pareceu que um redemoinho me pegou, meus olhos só viam em frente, meus ouvidos zumbiam, e eu falei, levantando a saia e baixando a calçola:
— Chupe aqui.
Não me recordo do que ele respondeu de pronto, lembro que cuspiu para o lado e disse que aquilo não, nada daquilo. Curioso, tudo está vindo de volta como nunca antes. Lembro que olhei para baixo e vi no lugar geralmente designado por nomes ridículos sob os quais a realidade é disfarçada, vi o que eu tenho que dizer com todas as letras, porque de outro modo vou agir conforme tudo o que eu sou contra — daqui a pouco eu consigo, é quase uma questão de honra, não vou ficar satisfeita se não disser —, já razoavelmente emplumada e enfunada como um cavalo de combate, me senti poderosa, marchei para ele, apertei-o no meio das pernas e, mordendo a orelha dele, disse outra vez que ia contar a meu avô a ousadia dele. Chupe aqui, disse eu, que não sabia realmente que as pessoas se chupavam, foi o que eu posso descrever como instintivo. Falei com energia e puxei a cabeça dele para baixo pela carapinha e empurrei a cara dele para dentro de minhas pernas, a ponto de ele ter tido dificuldade em respirar. Não me incomodei, deixei que ele tomasse um pouco de ar e depois puxei a cabeça dele de novo e entrei em orgasmo nessa mesma hora e deslizei para o chão. A essa altura, ele já estava gostando e se empenhando e me encostei na parede de pernas abertas e puxei muito a cabeça dele, enquanto, me encaixando na boca dele como quem

encaixa uma peça de precisão, como quem dá o peito para mamar, com um prazer enormíssimo em fazer tudo isso minuciosamente, eu gozava outra vez. Imediatamente, já possessa e numa ânsia que me fazia fibrilar o corpo todo, resolvi que tinha que montar na cara dele, cavalgar mesmo, cavalgar, cavalgar e aí gozei mais não sei quantas vezes, na boca, no nariz, nos olhos, na língua, na cabeça, gozei nele todo e então desci e chupei ele, engolindo tanto daquela viga tesa quanto podia engolir, depois sentindo o cheiro das virilhas, depois lambendo o saco, depois me enroscando nele e esperando ele gozar na minha boca, embora ninguém antes me tivesse dito como realmente era isso, só que ele não gozou na minha boca, acabou esguichando meu rosto e eu esfreguei tudo em nós dois. É impressionante como eu fiz tudo isso logo da primeira vez, porque foi mesmo a minha primeiríssima vez, e eu nunca tinha visto nada, nem ninguém tinha de fato me ensinado nada, a não ser em conversas doidas com as outras meninas do colégio, principalmente as internas, que sempre ficavam meio loucas, como é natural. Grande parte dessas histórias não tinha muito a ver com o que efetivamente é feito, com exceção das histórias sobre algumas das freiras e outras alunas, que eu depois vi que eram mais ou menos verdade e hoje sei que, na maioria dos casos, eram verdade. Suponho que devo ter um certo orgulho disso, devo reconhecer sem modéstia que sou um talento nato, uma predestinada, uma escolhida dos deuses, só pode ser algo assim. Não gosto de falar desta maneira, mas não há como escapar, existe alguma coisa de inexplicável nisso, tenho de crer que nasci sabendo, de certa forma. De certa forma não, eu nasci sabendo. Só pode ser, não me pergunte como. Eu nasci sabendo. Arrepios.

Depois disso, praticamente nunca mais nos falamos, você acredita? Nunca mais nos falamos, mas continuamos a fazer as mesmas coisas e outras durante essas férias todas, uma relação meio animalesca, que aproveitava as oportunidades, sem que fosse necessário dizer nada. Era bom, era um dos muitos padrões que terminei aprendendo e que tem seu lugar, tem muito seu lugar, estou com preguiça de explicar por que e, além disso, quem tem sensibilidade aberta e aguçada nesse terreno sabe o que eu quero dizer, e explicar a quem não tem adianta pouco ou quase nada. Só fazíamos isso, e depois ele ia embora e, se acontecia passarmos um pelo outro em lugares em que havia gente, era como se não nos víssemos. Não nos falamos mais e, quando eu voltei, anos e anos depois e, quando eu voltava eventualmente depois de bastante adulta, nós saíamos para pescar na canoa dele e trepávamos nus no meio do mar. Isso só terminou mesmo depois que eu entrei em outra órbita e nunca mais apareci. Sempre partíamos para nos agarrar automaticamente, quase todas as vezes em que ficávamos sozinhos, a não ser nas raras ocasiões em que eu não estava a fim, e ele, por alguma via telepática, sacava. Além disso, a iniciativa era sempre minha, ele ficava esperando. Ainda nesse tempo de semiadolescente e adolescente, eu ia com minha avó ao Outeirão e era a mesma coisa, aperfeiçoada a cada encontro. Ele se viciou em me chupar e eu em chupar ele e me dava muito prazer nós dois atrás das portas, fazendo as coisas de maneira insubstituivelmente perigosa. Com o tempo, ainda nessas férias em que começamos, ele passou a botar nas minhas coxas, e a gente aprendeu a sincronizar o gozo, e eu fazia questão de que ele recuasse um pouco os quadris para gozar nas minhas coxas. Fiquei uma especialista nessa prática, até hoje acho que é muito bom em certas circunstâncias que não sei enumerar, mas sinto quando elas se apresentam. O homem não pode gozar fora, não pode cometer o pecado de Onan, que, como você sabe, não foi se masturbar, mas ejacular no chão, em vez de emprenhar devidamente sua cunhada viúva, se não me engano era a cunhada viúva, ou uma outra parenta em situação semelhante. Está no Velho Testamento, onde, aliás, como eu já disse, estão muitas outras coisas habitualmente denunciadas como reprováveis, que os padres e pastores fingem que não veem. Os padres, em suas bíblias, disfarçam as referências de Salomão com notas de pé de página, distorções de sentido e trocas de palavras. É possível que eu tenha alguma fixação mórbida nisso, agora talvez esteja notando indícios; curioso, nunca tinha me dado conta. O fato é que amantes, concubinas e por aí vai são bastante encontradiças no Velho Testamento, todo mundo sabe disso e continua com as pregações santimoniais a que até hoje não me acostumei. É capaz dessa história de onanismo querendo dizer masturbação haver sido inventada por eles, para não terem que admitir as relações hoje espúrias, que a tradição relatada mostra. Uma vez li um conto de Isaac Bashevis Singer em que ele se referia ao pecado de

Onan de maneira correta e afirmava que, quando o homem ejacula no chão, um diabinho é gerado. Pode ser, pode ser, o fato é que não está certo. Na hora de gozar, tem que recuar os quadris e não privar a moça dessa irrigação tão rica em significados e símbolos, tão misteriosa, afinal. Aconselhei várias outras meninas sobre isso e sempre disse a elas: o homem que não goza nelas não merece confiança. Ou então é um inepto, que precisa ser treinado. Eu nunca deixei de gostar, sempre adorei, até porque é geralmente em pé, ligeiro e escondido, é muito bom, por trás ou pela frente, evoca bons tempos, é meio peralta e muitas outras coisas, dependendo de cada uma e do momento. Enfim, e uma opção entre muitas, que não deve ser desprezada.

Era o que se fazia no meu tempo, chega a ser difícil reconstituir como era complicado no meu tempo. Alguém devia fazer a sociologia disso. Eu sou do tempo do automóvel, da garçonnière e da demi-vierge, ninguém hoje sabe mais o que é isso, e eu tenho até uma certa saudade, acho motel sem graça, sem nenhum condimento, mesmo os metidos a criar ambientes românticos ou eróticos. Nesse ponto, sou obrigada a reconhecer meu reacionarismo, embora não radical, é claro. E a hipocrisia da época era mais agressiva, dava muito gosto a quem desafiava seus mandamentos, acabava resultando num grande prazer, a transgressão era mais satisfatória, melhor para o ego. Vários namorados meus, inclusive meus dois noivos, eu já mulher completa desde priscas eras, achavam que eu era virgem e diziam abertamente que não tinham preconceito, mas só casariam com virgens. No segundo noivado, que chegou perto do casamento e graças a Deus só chegou perto, com aquela bicha enrustida e meio impotente, eu já estava até pronta, veja que coisa ridícula, *outrageous but true*, já estava pronta para fazer uma recuperação de minha condição virginal, restaurar o hímen. Muita gente restaurou, sei de vários casos. Fico pasma quando penso nisso, mas é verdade, eu já tinha o nome de dois médicos aqui no Rio, já tinha planejado tudo. O passado me condena, me dá vergonha quando falo nisso. Mas era o tempo, tem que se dar um desconto, de longe as coisas parecem fáceis; na verdade, eram uma barra. Intervalo. Vamos tomar mais um uísque? Eu não devia beber, mas às favas com isso, vou morrer de qualquer jeito. Intervalo para uisquinho, se não for por nada, pelo menos porque *in vino veritas*.

Mas, enfim, de modo geral era um barato brincar com a hipocrisia e driblá-la criativamente. Essa amiga de quem eu já falei, Norma Lúcia, que nunca mais vi porque casou com um milionário sul-africano e foi morar lá, mas uma vez na vida ainda me escreve — depois eu quero falar ainda mais sobre ela, ela é mais tarada do que eu, muito mais, é um assombro, já deve estar um tanto passada dos setenta e na ativa, ainda mais agora, que o marido ficou paralítico e meio gagá —, essa amiga me deu grandes lições de anti-hipocrisia aplicada, usando a força dela contra ela, como dizem que fazem os lutadores de jiu-jítsu. A manobra de pegar no pau. Pegar no pau de forma que ele pense que é a primeira vez em que a indigitada pega num pau: nunca tomar a iniciativa e, apenas na terceira ou quarta tentativa, deixar, toda relutante e pudica, que ele puxe sua mão. E aí pegar de leve, como se estivesse tocando num bibelô de casca de porcelana, dedos hesitantes, mão quase flácida, até ele dar um risinho superior e grunhir "pode apertar". E então ele explica, e você escuta atenta e receosamente, que é natural para a mulher inexperiente pegar daquela forma, mas agora você sabe, deve-se apertar. E aí, a princípio sem muita convicção, mas logo fazendo progressos, você passa a apertar à vontade e até a abrir a braguilha dele, que naquele tempo era de botão e nunca de fecho ecler, já que fecho ecler, para os machos mais ciosos de sua machidão, era coisa de veado, abrir com dois dedos habilidosos, na hora interminável em que ele começava a meter a língua em sua orelha e babar tudo. Até hoje é um mistério para mim a razão por que os homens consideravam *de rigueur* meter a língua nas orelhas das mulheres no começo dos dares-e-tomares, vai ver que eles trocavam informações sobre isso e acabaram formulando um ritual. Não que eu seja absolutamente contra, mas a obrigatoriedade do lambuzamento às vezes dava uma certa exasperação ou impaciência. Depois, graças a Deus, paravam, geralmente era só nas primeiras vezes. Número dois: manobra para chupar. Isso era sempre, semprérrimo, a primeira vez. Era tal a obsessão dos homens pela primeira vez, que iam para a cama com uma mulher de quarenta e ela conseguia convencê-lo de que era a primeira vez em que chupava alguém. Que maravilha, eu nunca fiz isso, sabia? Só com você, nunca fiz com ninguém, só sabia disso por ouvir falar, nem acreditava, achei que ia ter nojo, mas com você eu não tenho, essas coisas. Ainda hoje, acredito que a maioria dos homens é assim, juventude descontraída e tudo. Outra coisa: nunca deixar que ele acabe logo na boca e, se por acaso acontecer, cuspir, lavar a boca, esfregar lenço e assim por diante. O pela primeira vez, nesse caso, era ainda mais importante do que o do chupar simplesmente. Mulheres casadas diziam aos amantes — e muitas ainda dizem, suspeito eu — que jamais fizeram ou fariam isso com o marido, e os cretinos acreditam, não existe coisa de que homem se gabe mais do que a amante fazer com ele o que não faz com o marido, tudo chute, armação. Sexo anal, a mesma coisa etc. etc. Oh, é a primeira vez, devagar, tá? Grandes atrizes se perdem todos os dias.

Norma Lúcia era uma gênia. Ela e eu subíamos juntas a rua Chile, com semblantes de moças mais ou menos recatadas e absolutamente família, olhando as vitrines e tendo altos papos de sacanagem. Altos papos mesmo, porque eu sempre tive minhas tinturas, e ela era meio intelectual, escrevia em suplementos literários e se esfregava com pintores por causa de quadros, chegou até a conseguir que um namorado comesse um pintor veado em troca de quadros, ela era danada. Esse negócio de primeira vez mesmo, ela batizou em latim. *Principium primæ* não sei o quê, qualquer coisa assim, somente para poder encetar papos de sacanagem com Almeida Júnior, um professor de filosofia da faculdade, e tirar uns sarros com ele, sarros pesados, mas só sarros, porque ele tinha medo de meter nela, havia muito homem assim, pelo menos na Bahia. Aquela rua Chile de antigamente, aqueles homens nas portas das lojas, todos de branco e apalpando ou pinicando os bagos, alguns passando a mão para cima e para baixo, acho que era um tipo de moda, não sei por que faziam isso, sempre me pareceram um bando de hipopótamos no cio. A gente, as hipopótamas, sou obrigada a reconhecer, a gente rebolava bastante quando passava por eles, e Norma Lúcia gostava de ouvir piadas grossas, como "eu lhe dou um banho de gato, putinha", ou então "bonito cu" e outras que tais, parece que ela atraía isso, algum deles dizia esse tipo de coisa a ela toda vez que ela passava, ela fingindo que não ouvia, mas adorando. Eu digo que tenho saudade e não deixa de ser verdade, mas é como se eu pudesse separar as coisas boas das ruins, impossível. Era um tempo difícil mesmo, tínhamos que ser artistas em diversos campos.

Um dia apareceram umas mulheres de calça comprida — isso eu já com uns trinta anos ou mais! — nessa dita rua Chile, e houve um tumulto, da mesma forma que tiveram de chamar a polícia para tirar da praia umas francesas que foram tomar banho de mar de maiô de duas peças. Já havia uma multidão de homens na balaustrada, e por pouco as francesas não foram passadas pelo fio da espada ali mesmo. Como eu já disse, barra pesada, pesada mesmo. É, saudade é besteira, há sempre muita idealização nisso. Eu na realidade não tenho saudade de nada, a não ser do auge da juventude madura, mas eu queria ser jovem trazendo na cabeça tudo o que aprendi até hoje, aí não podia, eu ia ser ditadora do mundo. Está certo, duas plásticas na cara e uma nos peitos, mas e as pernas, onde eu não fiz nada, só uma massagem ou outra? Iguais às da Marlene Dietrich, parece até que ela era minha prima pelo lado alemão da família, e eu partilho com ela a bênção de ficar com estas pernas até morrer, até porque minha morte... Não, mais tarde eu falo nisso, não quero baixar o astral lembrando que minha morte vem aí a qualquer hora, esta doença... É isso mesmo, quem sabe eu não estou me habituando à ideia? Mais tarde eu falo nisso, falo nisso abertamente, quanto mais aqui. Mais tarde. Pois é, hoje eu sou uma das melhores de quase setenta no Brasil, uma das melhores do mundo, eu sei o que estou dizendo. Imagine como eu era entre os trinta e os quarenta e poucos, na minha opinião a melhor idade para qualquer mulher, com a exceção da que se casa para engordar, realçar a celulite, usar meias contra varizes, assistir a novelas, entrar em concursos de televisão, limpar o catarro dos filhos e o próprio e encher o saco do adúltero de meia-tigela que a sustenta. Eu era ótima, mas ótima mesmo, não dessas ótimas de segundo time esforçado que você vê por aí, mas ótima mesmo, Afrodite, Helena de Troia, Frineia! Não dou ousadia a contemporâneas, talvez Ava Gardner. Um pouco de Ava Gardner e Sophia Loren no apogeu. E me sinto um pouco desperdiçada, embora infinitamente menos do que a maioria avassaladora. Quero e não quero voltar àquele tempo.

Ambivalências, sempre fui muito ambivalente. Não pareço, mas sou, é uma condição bastante interna, mas sou; ninguém diz, mas sou. Por exemplo, além de ter saudades do tempo das coxas... Ainda vou contar algumas aventuras do tempo das coxas, tenho material para duas guerra-e-pazes. Passagens espetaculares, uma vez com padre Misael em pleno colégio de freiras, outra vez com meu noivo Maurício na porta do apartamento onde estavam dando uma festa, e eu gozando como vinte ambulâncias desgovernadas, outra vez com meu tio Afonso no banheiro e minha tia Regina, mulher dele, querendo entrar, ah, e essas são somente algumas, são assim as que me vêm à cabeça, de momento. Eram tempos ótimos, em vários sentidos, mas *nihil est ab omni parte beatum*, acertei essa, outra que Norma Lúcia me ensinou, mas dessa vez não tinha relação com comer nenhum professor casado, de óculos sem aro e cara de santarrão devotado ao partidão, como Almeidinha. Foi só para sacanear o velho Pedrão, depois que ele não aguentou mais ela cruzando e descruzando as pernas e mostrando até as amídalas nas aulas de direito romano e aí, um belo dia, ele não se conteve mais e acabou cantando ela, uma cantada deplorável, em que ele tentou usar a linguagem e as referências que estavam em moda entre os mais jovens e se saiu grotescamente. Foi nesse dia que ela falou isso em latim como resposta, é uma citação de alguém. E disse mais que ele podia continuar olhando as pernas dela, ela tinha até prazer em exibi-las, e ele era merecedor, até pela sua sensibilidade e estatura intelectual. Mas dar, *jamais de la vie*, incogitável, ele não percebia? Além do mais, disse ela, eu sou virgem, o senhor pelo visto anda acreditando nas histórias que ouve desses oligofrênicos por aí, que não têm o que fazer e não passam de um bando de donzelões frustrados, eu sou uma moça de princípios. Norma Lúcia era diabólica, me contou que o velho quase morre não sei quantas vezes, e um dia se exibiu para ela na sala dele, até em surpreendente boa forma para a idade. Ela então — Norma Lúcia, grande Norma Lúcia, isso é de deixar o universo boquiaberto, pelo menos o universo dos que viveram aquele tempo — disse que sim, que lhe daria alguma coisa. O velho babou e perguntou o quê. Então está tudo azul, tudo azul? Coitado, era assim que ele achava que a gente falava em nosso meio. Ela conteve o riso e disse que dependia do que ele considerava tudo azul, porque o que ela ia dar era uma alisadinha rápida, mas só uma alisadinha. E deu a alisadinha mesmo e foi embora com uma leve rabanada jovial, jogando um beijo para ele, já da porta entreaberta. E não passou dessa alisadinha, e com toda a certeza o velho ficou maluco, já esqueci os pormenores do comportamento dele depois desse episódio. Eu sei mesmo é que ele ficou perturbadíssimo e morreu uns meses depois, claro que a humilhação deve ter ajudado. Embora eu não chegue a ter pena propriamente, por causa daquela pose austeríssima dele, moral acima de qualquer dúvida, baluarte dos mais elevados valores éticos e cristãos, censor de revistas e jornais, que gostava de insultar os alunos com palavras que ele descobria em sua biblioteca bolorenta e que os meninos tinham de ir ao dicionário para descobrir o que queriam dizer, como "precito", que nunca ouvi nem li ninguém mais usando e que nunca esqueci. Precito, precito era ele, você conhece o tipo. Geralmente, por trás dessas carrancas intolerantes e cheias de si, se esconde um poço sem fundo de concupiscência e sordidez. Fariseu safado, bem feito, muito bem-merecido.

É, eu cheguei a dizer que não tenho saudades de nada, mas tenho algumas. Muitas, até. É natural, não seria normal não tê-las. Saudades daqueles bailes americanos, por exemplo. Os navios da Marinha americana aportavam, e o mulherio ia aos píncaros. Havia bailes nos navios e bailes em clubes. Os quirômanos baianos — quem nos ensinou esta palavra foi o velho professor Mendonça, esse, sim, uma pérola de pessoa, maluco beleza, como se diz agora, grande homem, a gente morria de rir com ele —, os quirômanos baianos, ou seja, os viciados em mão, que eram praticamente todos, ficavam revoltadíssimos, mas a gente não estava nem aí nem chegando. Eles ficavam assim indignados porque sabiam que a gente dava para os americanos e não dava para eles. Quer dizer, a maior parte não dava propriamente, pela razão de sempre, a necessidade de permanecer tecnicamente virgem, mas dava, em última análise. Até hoje me espanta essa himenolatria. Era a honra da mulher, que horror. Ainda existe, sabia? E existe aos montes, é de cair o queixo, de vez em quando tomo um susto. Pittigrilli, um escritor que hoje ninguém lê, mas andava em voga e de que as moçoilas não podiam nem chegar perto, mas cujos livros davam sopa na biblioteca de meu pai e na do de Norminha — mais um ponto para minha família, nossas famílias, aliás —, dizia mais ou menos que, em vez de se preocuparem tanto com a integridade dessa honra, melhor fariam as mulheres italianas em lavá-la, com água mesmo e não com sangue, pelo menos uma vez por dia. E, de fato, é triste, acho que como ele próprio ainda disse, viver numa sociedade em que a honra feminina é portada entre as pernas, que coisa mais besta, meu Deus do céu. Mas, não é, não é? Às vezes me dá vontade de fazer um comício. Quantas vidas se perderam, quantos destinos se estragaram, quantas tragédias não houve, quantos conventos não foram abarrotados desumanamente, por causa da honra de tantas e tantas infelizes?

Sim, creio que a grande maioria preservava o hímen com os americanos, mas, de resto, fazia-se tudo. E a gente quase sempre tinha que ensinar muito a eles, embora com bastante jeito, para não espantar. Nunca encontrei um — nem eu, nem Norma Lúcia, nem nenhuma das outras meninas que faziam intercâmbio de experiências comigo — que não tivesse um mundo para aprender. Eles eram uns bestalhões, os americanos, mas tinham grande serventia, porque o homem baiano metia a mão por baixo de sua blusa e, no dia seguinte, todo mundo sabia, até em Feira de Santana. Isso num tempo em que não se usava telefone como hoje e, por exemplo, uma ligação aqui para o Rio costumava levar o dia todo para se completar. Quando se completava. No final, a gente tinha que falar aos berros, entre todo tipo de chiadeira, zumbidos e apitos, uma cacofonia infernal. Acho que não há um só baiano dessa geração, e das duas ou três posteriores também, ou mais, que nunca tenha chegado a um amigo, ou à turma do bairro ou do colégio, para dizer "não digam a ninguém, mas eu peguei nos peitos de Guiomar por dentro". Peguei nos peitos por dentro, frase mágica, muitas moças mais frágeis quase foram destruídas por essa frase e os "também quero, senão vou espalhar" que se seguiam. É inacreditável, mas havia sujeitos que chegavam para as meninas e diziam isto, e algumas cediam, é inacreditável.

Em suma, os americanos eram uns merdas simpáticos, só eram bonitinhos, mas não sabiam trepar, e a maioria, quando queria dizer um palavrão, dizia *God* e *Jesus*, imagine um povo que achava palavrão dizer Deus e Jesus, tudo ligado ao puritanismo deles, usar Seu santo nome em vão, essas coisas. Tanto assim que muitos empregavam eufemismos, como *Geez*, *Golly gee* e outras besteiras do mesmo jaez, imagine novamente um povo que precisava de eufemismos para exclamar o nome de Deus ou de Jesus. Eles trepavam e diziam *oh God, oh God*, só me lembra um português, Nuno, um português lindo que foi meu caso uns tempos, José Nuno, lindo. Aliás, fode-se muito bem em Portugal, ao contrário do que eu suponho ser a opinião generalizada. Mas eu quase nunca gozava com o Zé Nuno, porque, no momento culminante, ele urrava "não t'acanhes, não t'acanhes!", e meu ponto G acionava o disjuntor no ato, eu entrava em crises de riso e depois roçava na bunda dele, ele adorava, embora fosse machíssimo como todo português, inclusive os veados — paneleiros, para ficar com a usança portuguesa e emprestar alguma cor local à narrativa —, os paneleiros que se juntam nos arredores do Campo Pequeno, onde se fazem ash curridash d'toirosh em L'shboa e vão trabalhar como forcados, que são uma espécie de veados parrudos que vão enfrentar os touros no peito. Em fila, trenzinho, um encostando a bunda no de trás, naturalmente. E depois vão às tascas, aos copos e à veadagem, são veados machíssimos. Vi muitas belas bundas em Portugal, que lá não são chamadas de bundas, mas de cu mesmo, que lá nem é palavrão, veja como são as coisas, grande país subestimado. Bundas de homens e mulheres. Toda mulher portuguesa dá a bunda, ou pelo menos dava, para manter a santa virgindade vaginal, como aqui. Hoje, com a entrada na Comunidade Europeia e outras mudanças — eles hoje detestam o Brasil, sabia? português de-tes-ta o Brasil, com a exceção do Mário Soares, do Saramago, do José Carlos Vasconcelos e dois ou três outros gatos pingados, desprezam mesmo, é uma pena —, não sei mais como estão as coisas. Provavelmente nunca mais será ouvida a pergunta imortal que um amigo meu escutou, depois de enfrentar galhardamente a primeira com uma portuguesa belíssima, ele que antes estava até com medo de broxar. Ele me contou que, satisfeito e aliviadíssimo, estava fumando o tradicional cigarrinho *post coitum*, quando ela olhou para ele e falou: "E ao cu, não me vais?". Fantástico, disse ele; emocionante. E fui-lhe ao cu, disse ele, que maravilha. Imagine aqui no Brasil, uma mulher fazer uma pergunta dessas, não faz. Eu morei no bairro de Alvalade, dava para ir andando ao Campo Pequeno, cansei de ir às corridas somente para ver as bundas apertadinhas dos forcados. Sou contra essa teoria segundo a qual os brasileiros têm belas bundas e alimentam uma fixação patológica por bundas somente por causa dos africanos. Isto é preconceito, as belas bundas da nossa gente vêm tanto da África quanto de Portugal, tanto assim que eu não tenho sangue africano nenhum, pelo menos que eu saiba, e sempre portei uma bunda acima de qualquer crítica, até hoje não envergonho. Duvido que, se eu disser a algum homem que me coma "e ao cu, não me vais?", ele não vá imediatamente.

Claro que nunca fiz essa pergunta aos americanos, até porque em inglês não tem graça, e eles eram realmente uns bestalhões, a gente tinha que usar mil recursos para eles irem acertando aos poucos. Mas não tinham só essa vantagem de que falei, de não poderem, mesmo que quisessem, sair pela rua Chile, espalhando aos quatro ventos suas proezas conosco. Eram proezas nossas, pensando bem. Mas era bom, no final das contas. A gente tinha de ensinar tudo, porque eles não sabiam nem beijar direito, achavam chupão com língua uma coisa praticada exclusivamente em bordéis franceses — até hoje chamam isso de *French kiss*, se bem me lembro — e mais uma porção de coisas infantis. As baianas de minha geração devem ser responsáveis pela formação de centenas e centenas de americanos, fomos uma força progressiva na vida deles. Teve um, chamado Chuck, a quem ensinei tudo, e até hoje ele deve ser um desajustado na terra dele, em Oklahoma. Muskogee, Oklahoma, nunca mais esqueci. Acho que sou a única pessoa de fora de lá que ouviu falar, deve ser um horror. Bom aluno, ele, um talento que teria sido perdido, se a mulher baiana não tivesse entrado em cena, e com meu brilhantismo, modéstia à parte. E apesar disso tudo, era bom, como eu falei. Não só a gente dava alguma vazão àquela energia toda de potrancas mal-atendidas, felicíssimas por receberem uma carga maciça de homens para uso livre três a quatro vezes por ano, como treinava o nosso inglês, tanto para papos normais como para palavras que não eram encontradas nos dicionários e a gente morria de curiosidade em saber. Aprendi muita palavra chula em inglês, *cunt, pussy, prick, balls, blowjob, fingerfucking, cherry*, perdi a conta.

Que interessante, nada como um dia depois do outro, realmente. Quem te viu, quem te vê. Quando Chuck passou por Salvador e mesmo muito depois, as mulheres grávidas nem sequer apareciam barrigudas nos filmes americanos, não podiam ter enjoos, nada, nada.

Passavam nove meses grávidas, com a barriga do mesmo tamanho. Dormiam de sutiã, impecavelmente maquiladas e penteadas, e acordavam do mesmo jeito. Ninguém falava palavrão. Ninguém cometia nada de errado, a não ser para sofrer castigos demoníacos no fim. E por aí se ia, era como se aqueles fascistas do tipo de um tal de William Hays, de quem eu vi uma foto que imediatamente me trouxe à cabeça o velho Pedrão e outros santarrões do mesmo quilate, despejassem o antisséptico deles no cinema. Pois ontem eu estava brincando na internet e aí bati de cara com uma página de educação sexual, que qualquer criança pode achar, se bem que eles agora estejam usando códigos, programas e senhas especiais para não deixar que as crianças tenham acesso a certo tipo de coisa. Até aí, vamos dizer, tudo bem, porque a internet realmente mostra uns troços que você entende por que os pais não querem que seus filhos pequenos vejam, se bem que seja inútil, como todo esforço nessa área sempre foi. Mas essa era uma página normal de consulta e pesquisa, até meio família, com aquele ar de americano vestindo paletó para ir ao culto no domingo, ou trinchando peru no dia do Thanksgiving. E lá estava uma tal dra. Betty Dolson, grande dra. Dolson, falando para uma plateia aberta, que apenas devia ter pago a entrada, a respeito do clitóris dela, de vibradores, de felação, de cunilíngua, de um casal de mais de setenta cuja mulher se queixava agressivamente de que o pau do marido não subia, experiências sexuais de todos os modelos e mais uma porção de coisas do arco da velha, numa linguagem tchan-tchan, sem disfarces, que fazem este depoimento soar até como antigo, eu acho que terá uma aparência de antigo e pudico para muita gente que o ler. Verdade, não estou sendo irônica, verdade, é por isso que eu quero soltar as amarras que ainda me pegam, eu quero ficar livre. Livre! Eu quero ser moderna! Você não está achando que eu estou sendo branda demais? Eu estou achando. Estou parecendo uma americana do tempo de Chuck. Não, não estou, exagero meu. Mas preciso pôr tudo numa perspectiva correta, atualizada, moderna, enfim. Não posso ficar numa atitude temerosa dos censores de Joyce, de Lawrence, de Henry Miller etc. Se eles podem, se a dra. Dolson pode, por que eu não posso? Grande dra. Dolson, me ajudou bastante nesta fase de escancaramento e batalha contra a burrice e o atraso, vamos à luta, ponto para os americanos. Ponto para mim também, por que não? Estou atenta e tiro proveito inteligente de tudo o que me aparece; comigo não pode haver hesitações. Vamos à vitória, estou com preguiça de me estender mais e acabar me enovelando novamente, como já aconteceu. Uma coisa de cada vez. Aos americanos.

Norma Lúcia reuniu uma coleção de americanos da mais alta categoria, quantitativa e qualitativamente. Funcionava como uma biblioteca pública; a gente ia lá e tomava um emprestado, sem burocracia. Sobretudo quantitativamente. Só quantitativamente, aliás. Quantitativamente, só serve para o livro de récordes. Um acervo interessantíssimo, o de Norminha. Basta citar Melvin, que gozava e ficava com as pernas bambas se a gente tocasse no pau dele nos minutos subsequentes e pedia perdão a Deus toda vez que gozava, contribuía bastante para nossa religiosidade. Tinha esse Melvin, tinha Gordon, tinha Cliff, tinha Andy, todos querendo aparentar experiência, mas a gente sabia que precisava trabalhar *ex tabula rasa* com eles. Mas também, é claro, teve o Bob, teve o Ken... O Ken era judeu, e eu fiz um empréstimo dele; às vezes Norminha e eu até armávamos umas surubinhas, semissurubinhas na verdade, coisa boba — americano até hoje não tem uma boa palavra para "suruba", continuam um pouco subdesenvolvidos nessa área. *Group sex* soa como saído do catálogo de ciências sociais de Stanford e vai ver que está lá. Foi o Ken que me ensinou o que quer dizer *mohel*, porque eu fui tomada por uma crise de riso incontrolável, quando vi o pau dele pela primeira vez. Era todo tronchinho e, quando você o olhava de cima, parecia uma careca dando risada. Ele não se incomodou, disse que já estava acostumado, que o *mohel* que cortou a pelanquinha dele só vivia de cara cheia e que o lugar de Nova Jersey em que ele nasceu está cheio de judeus de paus tortinhos e risonhos, que esse *mohel* circuncidou. Cultura inútil é comigo, ninguém sabe o que é *mohel*, a sacanagem é mesmo um grande veículo de intercâmbio cultural. *Mohel* é o cara que faz a poda dos prepúcios, é uma alta especialidade mosaica, mas esse do Ken era mais chegado a Noé, que tomou um porre e comeu as filhas e depois ficam falando isso e aquilo para disfarçar; até Dante acho que botou Noé no limbo, em vez de no inferno, que era o lugar dele. Vamos ser coerentes. Trepar com todo mundo dá ou não dá inferno?

Comer filho dá inferno? Aliás, vamos deixar de lado esse negócio de inferno, ainda conservo um certo grilo de inferno.

Pois é, Norma Lúcia tinha essa infinita coleção de americanos, alguns ricos, e todos adoravam ela. Ela se hospedou muito naquelas fazendinhas deslumbrantes da Nova Inglaterra, ranchos texanos, criações de cavalos em Kentucky, desbundes em Palm Springs, tudo o que você possa imaginar, naquele tempo em que o Galeão era um galpão mal-acochambrado e as mulheres viajavam de chapéu e desfilavam para lá e para cá, com os passaportes abanando nas mãos. Quando ela gostava de algum pobre, tipo capitão de submarino, bancava a despesa toda, eu amo Norminha. Ela fazia todo tipo de estripulia, comeu a mulher de Ken, comeu uma porrada de amigos deles, comeu o filho mais velho de Gordon, comeu o general pai de Bob... Eu amo Norminha, é uma ídola minha, e olha que eu não sou dada a ter ídolos. A vida é louca. Ela se casou com Carl, o fazendeiro sul-africano, por causa do Bob. A gente transou com o Bob em duas viagens que ele fez à Bahia, uma como oficial da Marinha e outra num desses veleiros em que as pessoas vomitam, dormem dentro de buracos, nunca tomam banho, vivem de bunda assada e curtem se pendurar nas bordas dos barcos — "fazer beira", eles dizem; para mim fazer beira sugere outra coisa, deixemos para lá —, fazem beira entre ventos assassinos e água salgada na cara e as mãos sangrando e tudo no corpo sendo moído, tem gosto para tudo neste mundo. Apesar desse defeito, Bob era fantástico, o avô dele tinha inventado uma espécie de grampo de papel inovador, não sei bem, um troço desses que todo mundo usa e só os americanos patenteiam, de maneira que Bob tinha mais dinheiro do que todo o estado da Bahia, era um festim, trazia todo tipo de presente americano, do tempo em que só se achavam certas coisas em Nova York, e Nova York era Nova York, e não existiam japoneses. Ele aprendeu muito com Norma Lúcia. Comigo não, porque ela era craque e eu aspirante, se bem que muito talentosa. Aprendeu tanto que virou virtuose e, quando ficou amigo de Carl, numa dessas rodas de iatismo que eles frequentavam, contou tudo a ele. Contou que Norma Lúcia era o fodaço dos fodaços, verdadeira oitava maravilha do universo, aqui perdida neste lado do Atlântico Sul, e não deu outra. Claro que não deu outra: o iate dele — que iate! — aportou na Bahia. É claro que ele ligou imediatamente para Norminha, e ela, *ça va sans dire*, não envergonhou a Bahia, o homem ficou completamente ensandecido. Casaram em três meses, e Bob foi o padrinho e eu a madrinha e, enquanto eles partiam no *Hurricane* para um cruzeiro no Caribe, Bob e eu fomos nos enroscar numa casa de veraneio que ele tinha alugado em Amaralina, ô vida.

Eles sempre foram felicíssimos. Ela adorou a África do Sul, até porque sempre gostou muito de matar bichos grandes, e Carl dava todo o dinheiro que ela queria para ela comprar o direito de sair matando o que lhe desse na veneta, naqueles países africanos que a gente vê nos documentários, onde só tem bichos, pobres fantasiados e generais com contas secretas na Suíça, são só não sei quantos mil dólares por elefante, não sei quantos por leão e assim por diante, para não falar que não havia ecologistas. Ela disse que matar é o maior afrodisíaco que existe e que sente um arrepio assombroso, na hora em que o bicho sucumbe. Quando ela era menina, ordenava às serviçais da fazenda que a chamassem quando fosse hora de matar qualquer bicho, inclusive porco, que é uma barra para morrer de faca, com aqueles guinchos agoniados, aquelas contorções e sangue espirrando por tudo quanto é lado. E ela preferia faca a qualquer outro instrumento, para essa diversão. O contato é mais próximo, dizia ela, e eu acredito que ela tinha um barato fazendo essas coisas. Naturalmente que não dava para matar um leão dessa forma, feito Tarzan, mas ela sempre atirou bem e matou uma porção. Ainda aqui na Bahia, ela chegou a criar uma jiboia chamada Selma, e a coisa de que ela mais gostava era alimentar Selma. Jiboia não come comida morta, tem que ser um animal vivo. Pelo menos foi isso que ela me contou. Cobra come pouco, acho que uma ou duas refeições por mês. Bem, não vem ao caso, o fato é que ela descolava uns ratos brancos com uma amiga em não sei que laboratório, ou então uma preá no criatório de um empregado do pai, e fazia um verdadeiro ritual para dar o bicho a Selma. Assisti a algumas dessas celebrações. Não entrei em transe nenhum, mas acredito que compreendi o barato dela, acho que intuo esse barato, havia alguma coisa de morbidamente sensual naquela cena. Ela trazia o rato numa gaiolinha de arame, não tinha nem a caridade de arranjar uma caixa fechada; me lembrava aquela cena de Ana Bolena em que vêm dizer a ela, Ana Bolena, que Henricão mandou cortar o pescoço dela, com aqueles tambores agoureiros redobrando e Maria Callas gritando "sirrrr Peeerrrrrrcy!", acho lindo. Norma Lúcia botava Selma num quarto desocupado e sem mobília daquele casarão enorme da chácara, trancava a porta, acendia uns incensos fedidos que ela comprava nas Sete Portas, se acocorava num canto e soltava o rato para Selma comer. Despejava o rato, quero dizer, porque ele não saía da gaiola, gelava assim que via a cobra. Ela entrava em êxtase só de ver o rato paralisado de terror, e Selma fixava aquele olhar malevolente de cobra nele, com a língua tenteando o ar, para depois, com uma classe sinuosa que só cobra tem, enroscar-se nele, lambê-lo, esmagá-lo e engoli-lo sem pressa. Norma Lúcia não se aguentava de excitação diante desse espetáculo e se masturbava horas seguidas. Muitíssimo mais tarada do que eu, incomparavelmente, chegava a acariciar longamente os paus dos cavalos dela, com os olhos fechados e quase em transe. E adorava ver cavalos trepando também.

Não que cavalos trepando não sejam uma visão muito bonita, eu também gosto de ver, assim como jegues; vi inúmeros, soltos pelas ruas e terrenos baldios, em Itaparica. E cachorros também, é interessante como cachorros trepando também são excitantes. A corte dos cachorros parece desgraciosa à primeira vista, mas, bem olhada, não é, principalmente a dos vira-latas em bando, brigando pela posse da fêmea, até que um sai vitorioso, e a penetração culmina o triunfo. Mas nunca cheguei a ser como Norminha. Ela era diferente, era realmente completa, sempre tive uma certa inveja dela. Inveja sadia, eu não queria tirar o que ela tinha, queria somente ter também o que ela tinha, ou melhor, ser como ela era. Uma inveja a favor, de admiração, não uma inveja destrutiva. Tudo o que ela fez, fez num tempo em que tudo era bem mais difícil para as mulheres. Não que não fosse difícil para os homens também e, sob outros aspectos, nunca deixei de ser solidária com os pobres dos machos, acorrentados a uma porção de deveres esdrúxulos, desde não chorar até enfrentar situações horripilantes, só porque eram machos. A gente pensa que lembra como eram as coisas, mas não lembra, há sempre filtros, filtros da memória, filtros das neuroses, filtros do voluntarismo, tudo quanto é tipo de filtro. Não era brincadeira, não, mesmo com ela e eu vindo de famílias muito liberais e meio porras-loucas, meio metidas a europeias cosmopolitanas. Minha mãe dirigia carro, usava calças compridas e fumava desde que eu me entendi e ia ao médico sozinha e ao cinema sozinha, um escândalo. Mulher não tinha que ficar virgem apenas porque o babaca do noivo exigia — como até hoje exige, o Brasil não é só Ipanema —, pois havia também o medo de engravidar. Usava-se camisa de vênus, mas os próprios homens tinham vergonha de comprar camisinha nas farmácias, para não falar que é um recurso insuportável e grande parte dos homens fica tão concentrada ao tentar enfiá-las, que acaba broxando. A ereção não foi planejada para acontecer quando se está concentrado num problema técnico. É uma operação esquisita e desajeitada. Eu ouvi dizer que, aqui no Rio, já há meninas que põem a camisinha no namorado com a boca. Eu imagino como seja, mas mesmo assim gostaria de ver, não creio que a camisinha melhore com essa manobra, nunca suportei camisinha. Quando foi que chegou a pílula? Não me lembro bem, mas nós não éramos mais mocinhas, por aí se pode adivinhar o que nós vivemos, se bem que a repressão, como já observei, teve sua utilidade, até mesmo lúdica. Eu passei muito tempo sem saber que era estéril, só vim a saber muitos anos depois, de maneira que tinha tanto pavor de engravidar quanto Norma Lúcia e todas as outras, a não ser as chantagistas ou inconsequentes. Ela, por sinal, apesar das cautelas, tabelinhas, simpatias e remédios suspeitos, fez três abortos. Havia uns médicos conhecidos e comentados à boca não tão pequena, dizem que até bons médicos, que faziam abortos. A clientela devia ser fortíssima, só podia ser. Quem podia, vinha fazer os abortos aqui no Rio, para despistar. Mas, claro, eu, graças a Deus, não tive que fazer aborto e agora, olhando para trás, vejo que Deus sabe mesmo o que faz, porque eu não ia dar para mãe, ia ser uma mãe horrenda e talvez até comesse meu próprio filho, conheço uma meia dúzia de três ou quatro dessas jocastas por aí, nada no mundo é impossível, isso é até relativamente comum. Como dizia o velho Matosinho, na faculdade, a verdade dói, a verdade machuca, a verdade contunde, a verdade fere, a verdade maltrata, a verdade mata — o velho Matosinho era um estilista baiano, no pioríssimo sentido da palavra, mas tinha óbvia razão. Como tinha razão Nelson Rodrigues: se todo mundo soubesse da vida sexual de todo mundo, ninguém se dava com ninguém. A verdade é essa, de vez em quando eu fico com ímpetos de sair vergastando os fariseus, acho que é por isso que eu quero publicar este depoimento, já me quebra um galho. Não vou dizer que seja comuníssimo mãe comer filho ou irmã comer irmão, mas que *las hay, las hay*. E *los hay* também, talvez até mais. No interior do Nordeste — e por que não dizer do Brasil todo, do mundo todo? — de vez em quando prendem um, como sempre, pobre, e suspeito que é a famosa ponta do *iceberg*, na verdade as ocorrências são muito mais numerosas do que se imagina. Em relação a irmão, posso dar meu testemunho pessoal, eu comi muito Rodolfo, meu irmão mais velho, até ele morrer a gente se comia, sempre achamos isso muito natural. Evidente que é natural, a maior parte das pessoas passa pelo menos uma fase de tesão no irmão ou na irmã, só que a reprime em recalques medonhos. Nós não. Norma Lúcia também não. Muita gente também não.

Mas não era isto que eu estava dizendo, eu ia dizer que, se houvesse mesmo feminismo neste país — feminismo sadio, não esta merda de querer ser melhor do que os homens e apenas assumir o papel de dominador, como se para descontar, burrice, burrice, uma tirania não justifica outra, burrice —, levantariam uma estátua para Norma Lúcia, estabeleceriam uma Fundação Norma Lúcia, qualquer coisa assim. Talvez eu mesma tome essa iniciativa, pensando bem. Por que não? A gente se acostuma a achar que não pode fazer as coisas e, de repente, descobre que pode. Quase sempre pode, é por isso que muitos malucos dão certo. Vou meditar sobre isso seriamente. Fundação Norma Lúcia pela Liberdade da Fêmea da Espécie, a FUNOLU! Não, sem brincadeira, pode ser uma boa ideia, pensar nisso com carinho. Fundação Antipreconceito Norma Lúcia, Fundação da Liberdade Humana Norma Lúcia, Comitê Antiburrice Norma Lúcia, Comissão Norma Lúcia de Combate ao Atraso e à Estupidez, alguma coisa importante em homenagem a ela, inspirada nela e em outras heroínas ignoradas. Ela de fato merece. Elas merecem. Nós merecemos. Se bem que, como eu também ia dizendo, as restrições todas nos forçaram a conseguir caminhos inteligentes para superá-las, o que nos tornou melhores mulheres em todos os sentidos, inigualavelmente melhores do que seríamos sem elas. Aprendemos a dobrar situações adversas, desenvolvemos áreas intelectuais, emocionais e sociais que do contrário teriam ficado estagnadas, atrofiadas. E aprendemos a transar, a curtir tudo. As mulheres, paradoxalmente, nesta era de liberdade, estão ficando incompletas, em relação a nós. Não todas, nunca são todas, mas muitas de nós aprenderam a gozar por praticamente todos os buracos do corpo, basta dominar uns truquezinhos e exercitá-los com um certo afinco; eles, quando menos você espera, se tornam automáticos, parecem inatos. A necessidade deu muita criatividade à minha geração, muita versatilidade. Aprender a apertar as coxas produtivamente, por exemplo, muitas mulheres não sabem mais, a necessidade não as espicaçou. Antigamente era muito mais comum a mulher gozar apenas apertando as coxas uma contra a outra, ou quase isso, havia recurso para tudo, havia realmente um certo virtuosismo hoje perdido, pela falta de exploração plena de nossas potencialidades. Enfim, conseguimos transformar o limão em diversas limonadas, transformamos o limão em laranja doce, melhor dizendo.

Isso pode resvalar para o saudosismo, os bons tempos e semelhantes asnices, não há bons tempos, só há tempos. Nada de saudosismo, saudosismo é uma espécie de masturbação sem verdadeiro prazer, uma inutilidade atravancadora, que no máximo pode ser empregada para brincadeiras, mas geralmente é perda de tempo mesmo. Não, nada disso. Aqueles tempos tinham seu charme, mas eram duros também, cada tempo tem sua dureza, com mil perdões pela filosofia de botequim. Tomar nas coxas, de que eu já falei tanto, exige know-how, para ser desfrutado decentemente. A mulher tem que treinar a postura, para estar segura de que vai atingir um orgasmo, ainda mais quando o homem é semiadolescente e goza em dois décimos de segundo. Era preciso também tomar cuidado com o pessoal do "só a cabecinha", todo mundo manja esse pessoal, embora ele exista mais no folclore do que na vida real, eu mesma só encontrei uns três. Tive até vontade de dar para um deles, cheguei a começar a abrir as pernas, encostada no para-lama do carro do pai dele. Mas algo me disse que não. Algo quase sempre mente, mas, mesmo assim, manda a boa paranoia sadia que se dê atenção a ele. Pois é, Algo me disse que não desse, nem nesse dia nem nos subsequentes, embora adorasse me agarrar com esse rapaz, ele devia ter uns feromônios extraordinários. Ficava ralado de tanto botar nas minhas coxas e eu fazia tudo com ele, exceto deixar que ele metesse, fosse na frente, fosse atrás. Atrás, bem que eu tentei, a primeira vez em pé, encostada no muro do farol da Barra, que, aliás, é meio inclinadinho, e a gente fica mais ou menos reclinada de bruços, grande farol da Barra. Ele passou cuspe, eu me preparei toda ansiosa e, quando ele enfiou, não consigo imaginar dor pior do que aquela, uma dor como se tivessem me dado dezenas de punhaladas, uma dor funda e lacerante, que não passava nunca, me arrepio até hoje. E as tentativas posteriores foram todas desastrosíssimas, experiências humilhantes e acabrunhantes, passei anos traumatizada e decidida a tornar aquilo território perpetuamente proibido e mesmo execrado. Até que Norma Lúcia me ensinou uma coisa. Não. Duas coisas. Não. Três coisas. Primeira coisa: no começo, na iniciação, por assim dizer, tem que ser de quatro, requisito absoluto para a grande maioria. Segunda coisa: tem que dizer a ele que venha devagar. Ou, melhor ainda, dizer a ele que espere a gente ir chegando de ré devagar, sempre devagar. Terceira e mais importante de todas: relaxar, relaxar, mas relaxar de verdade, soltar os músculos, esperar de braços abertos, digamos. É um milagre. Foi um milagre, na primeira vez em que eu segui essa orientação simples. Daí para gozar analmente — não sei nem se é gozo propriamente anal, só sei que é um gozo intensíssimo — foi só mais um pouco de vivência, *with a little help from my friends*, ha-ha. Quem não sabe fazer isso nunca fez uma verdadeira suruba, nem pode fazer, nunca vai poder comer direito um casal, enfim, vai ser uma mulher incompleta, acho que qualquer um concorda com isso. Não sei se você sabe, mas as hetairas, as cortesãs da Grécia antiga, davam a bunda, preferencialmente. Apesar de já haver métodos anticoncepcionais, o mais seguro era mesmo uma enrabação, é uma arte milenar que não pode ser perdida, e toda mulher que, sob desculpas inaceitáveis e ditadas pela ignorância, preconceito ou incapacidade, não conta com isso em seu repertório permanente é uma limitada, não importa o que ela argumente. Acho até que todas as refratárias na verdade sabem que são limitadas e procuram negar essa condição através de mecanismos para mim pouco convincentes. Depois que aprendi, naturalmente que tive de procurar esse namorado meu — esqueci o nome dele agora, Eusébio, qualquer coisa por aí — e dar a bunda a ele, não podia morrer sem fazer isso. Dei numa festa de aniversário da então namorada dele, num sítio onde é hoje Lauro de Freitas, eu também era levadinha.

    E por que eu não deixei que ele me comesse na frente também? Bem, primeiro porque achei que não estava pronta ainda, embora me sentisse profundamente lesada em meus direitos elementares, por não poder dar tudo o que era meu e de mais ninguém. Mas, para consolar, eu já tinha me desenvolvido extraordinariamente em outras áreas, já desfrutava tomar na bunda e nas coxas com grande competência, já gozava chupando, gozava até quando chupavam meus peitos bem chupados, gozava no dedo, gozava apertando as coxas, não sentia, enfim, falta de muita coisa e tinha realmente terror de ficar grávida. Segundo, e mais relevante, é que eu tinha uma fantasia de meu desvirginamento, que eu acho que tirei da biblioteca de meu avô, um livro grossão sobre a vida sexual, que trazia as fotografias de um homem e uma mulher, ambos nus de frente, ambos em posição de sentido, tudo altamente neutro. Mas eu não conseguia deixar de mirar os peitos e os pentelhos dela e o bigode e o pau dele, passava horas entretida nisso e lendo a descrição de um desvirginamento, feita pelo autor. Não sei de cor, mas é como se soubesse, até hoje sou capaz de repetir essas palavras, do jeito que ficaram em minha cabeça: "E então chega o momento tão ansiado. Sem pronunciar uma palavra, ele fecha a boca da donzela com um beijo decidido entre seus bigodes másculos, insinua seus quadris, delicada mas firmemente, entre as coxas dela e dirige a glande inturgescente para o hímen, então trêmulo e lubrificado pelos fluidos naturais da vagina. Resoluto, ele se assegura, às vezes com a ajuda das mãos, de que está no ponto certo e então, enquanto ela dá um gemido abafado, entre a dor e o prazer da fêmea que finalmente cumpre o seu destino biológico, penetra-a com um só impulso vigoroso, abre-lhe mais as pernas, inicia um movimento de vai e vem profundo e, finalmente, derrama-lhe nas entranhas o morno líquido vital, sem o qual ele não é nada, ela não é nada". Essa era minha fantasia, até hoje é, sempre foi um dos meus temas de masturbação favoritos e, não sei se de alguma forma por isso, passei grande parte da vida preferindo homens mais velhos, só depois é que comecei a gostar de homens mais novos, depois que descobri que os mais velhos são putas velhas iguais a mim, não valem nada. E, depois, burro velho, capim novo, verdade inegável. Hoje, sinto prazer em seduzir e treinar um jovem bonito; é estimulante, revitalizador, faz bem ao ego.

    Claro que eu, mesmo gostando irracionalmente da cena, ou seja, da maneira mais forte possível, não tinha ideia de que ia acontecer comigo exatamente dessa maneira, ou quase exatamente. Ainda nem sonhava em conhecer José Luís. José Luís foi meu professor de prática de penal, ninguém ligava para ele, mas penal é ótimo, porque tem aqueles papos de estupro presumido, sedução, atentado ao pudor, rapto etc., tudo excelente para puxar conversas de sacanagem aparentemente inocentes e técnicas, mas assim mesmo as meninas pouco ligavam para ele, não tinham intuição ou experiência para avaliar adequadamente o potencial dele. As poucas que se interessavam por ele não alimentavam planos, porque ele era casadíssimo, caxiíssimo, ordeiríssimo, reprovadoríssimo, de maneira que ninguém achava que valia a pena o trabalho, mesmo diante da tenebrosa escassez de homens aproveitáveis, aquele elenco deprimente de coçadores de baixios e primitivos neandertalescos. Parêntese. Falando em neandertalesco, me apareceu este parêntese, talvez injustiçando um pouco o homem de Neandertal. É difícil acreditar neste parêntese, mas é a pura verdade, não resisto a contá-lo. Verdade, verdade, fiquei pasma na ocasião e continuo abismada. Uma conhecida minha era noiva, de aliança no dedo, de um rapaz muito conhecido, com quem todo mundo simpatizava, um rechonchudinho corado, gentil, educado, aberto, simpático mesmo. Eles eram um casal de pombinhos, todo mundo se referia a eles como pombinhos, um chamego e um carinho que chamavam a atenção, só apareciam juntos, aos beijinhos e alisadinhas. Namoro padrão, na Bahia. Pois bem, pois um belo dia acabaram. Foi um susto geral, dezenas de hipóteses e especulações e ninguém conhecia a versão correta. Muitas e muitas voltas do mundo depois, nós duas estávamos tendo uma espécie de caso passageiro, e ela me contou, na cama, o que de fato havia acontecido. Inimaginável, mas acho que até hoje continua acontecendo. Ela me contou que mantinha a virgindade com ele, mas, de resto, faziam uma porção de coisas, na verdade, agora ela sabia, uma porção de meras perfumarias. E ele foi o primeiro na vida dela, a única experiência que ela tinha. E aí estão os dois namorando numa balaustrada deserta na Barra, já escurecendo, ele sentado, ela em pé, recostada entre as pernas dele, quando sentiu o pau dele duro lhe roçar na bochecha. Ela então ficou esfregando a cara para lá e para cá, por cima do pano da calça. E então, me contou ela, que não tinha razão nenhuma para mentir e parecia até estar precisando daquele desabafo, ela foi seguindo um curso natural, sem nem pensar no que estava fazendo. Abriu a braguilha dele e deixou que o pau pulasse fora. Era a primeira vez que o via assim, cara a cara, e ficou quase hipnotizada, se sentindo como nunca se sentira antes, uma falta de fôlego, uma ânsia, uma vontade de agarrar tudo de uma vez, as costas fibrilando de alto a baixo. Daí para pôr o pau dele na boca foi um instante e aí acabou o namoro. Ele de repente empurrou a cabeça para trás e deu um murro nela. Não um tapa, disse ela, mas um murro que lhe deixou o queixo roxo. Que era que ela estava pensando? Em que puteiro aprendera aquilo? Achava que mulher dele era para fazer aquela coisa nojenta, própria das mais baixas prostitutas? Se ele quisesse aquilo, ia procurar uma vagabunda na rua, não sua própria mulher. E que desenvoltura era aquela, onde ela havia aprendido aquilo, com quem já fizera aquilo? Nunca mais a beijaria na boca, não queria chupar homem nenhum por tabela. Casaria com ela, sim, porque já estavam comprometidos, mas nunca mais a beijaria na boca. Ela, que tinha caráter, decidiu que acabaria tudo naquela mesma hora. Na ocasião, não conseguiu dar a descompostura nele que pretendia, mas nunca mais quis saber dele, mesmo quando ele tomou corno de uma outra namorada e veio atrás dela no proverbial rastejar, mordido de arrependimento.

Então você vê. Não só os homens tinham medo de deflorar as moças, mesmo quando elas imploravam, como ainda existia esse tipo de selvageria. Era crucial ser uma navegadora hábil, nesse mar de babaquice, cheio de armadilhas inesperadas. Mas eu sempre tive um faro superior, uma capacidade de percepção mais aguçada que o comum, talvez. Talento, por que não? Por exemplo, descobri o potencial de Zé Luís num estalo, foi repentino mesmo. Eu estava no saguão da faculdade, quando me veio um clarão, clarão é a única palavra apropriada. Mas... Mas estava na cara! Zé Luís, Zé Luís ali dando sopa, e ninguém à altura de aproveitar. E então ele subiu a escada sem me olhar, mas eu sabia que ele estava me vendo e então eu falei comigo mesma que Deus é grande e tudo estava maravilhosamente às ordens, a vida é simples e a gente não repara. Cego é mesmo o que não quer ver e agora eu vou contar *La grande séduction*.

A grande sedução. Ele não era bonito, mas também não era feio. Aliás, as categorias "feio" e "bonito" não se aplicavam bem a ele, como acontece com muitos homens. Com mulher também, mas as mulheres têm mais truques superficiais, já consagrados pelo uso e pelo tempo, e os homens, não. Ele era bonito, muito bonito, até, sob certa perspectiva. E podia ser chamado de feio atraente por outras pessoas, ou mesmo feio, ponto-final. Bem, sem querer ser Espinosa e ficar perguntando onde é que está a beleza, vou mais ou menos pelo mesmo caminho. Para mim ele era bonito porque preenchia as condições para ser meu deflorador, é uma coisa complexa, muito pessoal, é uma conjuminação de tudo o que você acha que compõe uma pessoa e compõe você. Ele preenchia as condições objetivas e emocionais, pronto, falava à minha neurose. Óculos de tartaruga, que ainda não tinham entrado na moda como depois, magrinho no ponto certo, bundinha fornidinha, voz bem modulada, sabia tudo de penal e outros direitos, era educadíssimo, era de esquerda — um *must*, nessa época —, sorriso lindo, uma graça, pensando bem. Um jeito entre acanhado e sardônico, facilidade de falar bem sem afetação, um rosto expressivo e franco e, óbvio, bigode. Não desses bigodinhos ridículos, mas bigode cheio mesmo, bigode de homem macho. Não era um galã como os americanos tecnicolor, mas um belo galã, inclusive em termos de hoje. Já deve ter morrido e, se não fosse eu, certamente morreria completamente desperdiçado. A mulher dele ensinava física em outra faculdade e era um horror, dessas mulheres sem queixo que comparecem a toda reunião reivindicatória e fazem colocações — sempre houve gente fazendo colocações — e, ainda por cima, tinha mania de cantar, cantava em todas as festas, tocava um violão horrível com um repertório de quatro acordes e imitava Stellinha Egg e Inezita Barroso e mais umas tantas outras cantoras folclóricas do interior de São Paulo. E ele adorava ela, carregava o violão dela, fazia psiu na hora em que ela começava a uivar e dava beijos sapecados nela, depois que ela cantava trenzinho chuá-chuá, ou qualquer merda dessas, que todo mundo ouvia se achando altamente povo. Ela ajudava a que eu não sentisse remorso nenhum, acho até que lhe fiz um favor, Zé Luís deve ter melhorado bastante em casa, depois da série de surras de cama que eu lhe apliquei. E mesmo que desse remorso, a verdade é que nunca fui dada a esse tipo de remorso. O único problema mesmo era armar uma estratégia eficaz e eu enfrentei a situação com uma categoria digna de Norma Lúcia. Ou melhor, por que me diminuir? Categoria minha, só quem viveu naquele tempo é que pode sentir os desafios em sua inteireza. E a verdade é que dessa vez não pedi assessoria a Norma Lúcia, resolvi que ia enfrentar tudo sozinha, voo solo.

O passo inicial foi ser a primeira a comparecer às aulas e sentar, com uma cara de atenção e admiração que qualquer um jurava que eu tinha frequentado o Actors Studio, colega de turma de Marlon Brando. Só quem ia às aulas dele eram os cê-dê-efes e os que estavam pendurados por faltas, mas eu não, eu já estava no corredor na hora em que ele vinha e, quando ele vinha, eu ruborizava — sempre soube ruborizar à vontade —, virava as costas e, sabendo perfeitamente que ele estava vendo, retocava o batom e o ruge, alisava a saia, ajeitava o cabelo e ia sentar na primeira fila. Quantas vezes eu sentei ali, toda pudica, antes de qualquer outro aluno chegar! Ele ficava sem gracíssima, uma tesão, e eu não dava bandeira nenhuma, só perguntava como ele ia e dizia que estava esperando aquela aula, eu adorava penal, e as aulas dele me abriam mundos. Minha postura era também muito recatada, se bem que com umas certas exceções repentinas e fugazes, só para deixá-lo de orelha em pé e sem saber o que pensar direito. E naquele tempo se andava de anágua e sutiã e minissaia era dos anos 20, do tempo das *flappers*, que a gente via no cinema. E, mesmo que houvesse minissaia, eu não usaria, já estava ligada na prática do primeiro-foi-você, nunca perdi tempo em querer dar murro em ponta de faca.

Foram meses, alguém acredita? Foram meses para ele compreender que eu estava querendo dar para ele e mais meses para ele aceitar me desvirginar. Foram meses renascentistas, florentinos, mas eu não me importei, até gostei. Continuei levando a minha vida como sempre, com noivo e tudo. Me sentia mais ou menos como Selma, a jiboia de Norma Lúcia, e ele era o ratinho em que eu ia me enroscar e engolir. E eu não me limitava à manobra de sentar na primeira fila. A cada dia eu fechava o cerco mais um bocadinho, um aperto sutil, um avanço quase imperceptível, mas sempre um tijolo na minha construção. Dei para ficar na sala depois da aula, sempre tinha uma pergunta, várias perguntas, olhando direto nos olhos dele, que desviava a vista, mas eu firme. Pedia bibliografia, fazia que não entendia certas coisas, citava trechos de livros, virei uma verdadeira Beccaria, só se vendo. Depois pegamos mais proximidade e eu mostrei cadernos, anotações e escritos meus, uns poemas. Uma vez — ninguém neste mundo presta, muito menos eu — ele estava lendo uns poemas e eu, fingindo alto nervosismo, tomei o caderno dele na hora em que ele estava começando um poema e disse que aquele não, aquele ele não podia ler. E — fiz, fiz, fiz, não posso negar, fiz um negócio que sempre considerei vulgar, mas fiz — apliquei aquele golpe do veja como eu estou nervosa, puxando a mão do freguês para o meu regaço. E, no setor visual, a esta altura eu já tinha chegado ao saião com botões na frente. Anágua fina por baixo, mas saião com botões. Não aparecia nada, só muito de relance e uma vez na vida e outra na morte, mas ele ficava perturbado, já andava visivelmente perturbado comigo, às vezes, coitado, dava uns olhares caídos e compridos, como se quisesse pedir misericórdia. E eu firme. Minhas ficadas depois da aula viraram costume, comigo conversando e usando todos os truques que já nasci sabendo, pegando no braço dele e tirando a mão depressa e maliciosamente, elogiando ele, chegando perto para olhar livros sobre o ombro dele, olhos nos olhos sempre que podia, uma campanha napoleônica, Norma Lúcia disse que eu era letal.

 Finalmente, chegou o grande dia. Era uma quarta-feira e chovia — não é assim que se começam esses relatos? Não sei se era quarta-feira, mas chovia, sim, no grande dia, é um pormenor importante. E foi inesperado, porque ele não dava aula nesse dia, mas Mascarenhas, o catedrático, tinha medo obsessivo de ficar tuberculoso outra vez e amaldiçoava até ventiladores e mandou que ele aplicasse a prova. Quase todo mundo acabou mais ou menos cedo, mas eu, que tinha estudado como uma alucinada, escrevi resmas de papel e demorei até quase o fim do horário. Quando chegou a hora, só restavam na sala ele e Jorginho, que era maluco e tinha dificuldade em escrever, mas já estava terminando. Eu esperei um bocadinho, vi que Jorginho ainda ia demorar mais um tempinho e tomei uma decisão que já estava disposta a tomar fazia muito. Fingi que o vade-mécum e os cadernos estavam atrapalhando, botei a caneta na boca e fui até ele. Ele estava curvado, com as mãos apoiadas na mesa, e então, aparentando estar toda sem jeito, deixei uns cadernos cair na mesa, peguei a papelada da prova para entregar e, bem nessa hora, como quem está distraída mas deixando transparecer uma determinação inegável embora intangível, encostei na mão dele, que se fechava sobre a borda da mesa. Ele levou um susto e tirou a mão, mas eu fiz pressão e minha saia chegou a subir um pouco, arrepanhada em frente a meu púbis pelo movimento dele. Mas eu não aliviei a pressão, só olhei nos olhos dele outra vez, depois baixei a vista, depois fiquei vermelha, fiz menção de sair atabalhoadamente, voltei para pegar um caderno que tinha esquecido de propósito e aí perguntei a ele se eu, agora que a prova estava entregue, podia permanecer ali um bocadinho e tirar umas dúvidas com ele. Sabe, eu tinha tido uns dois professores que marcaram minha vida, dois ou três, no máximo. E ele era um deles, sabia? Ele tinha despertado algo que dormia em mim, algo de cuja existência eu jamais suspeitara e agora, pelas mãos dele, descobrira arrebatada, quase sem fôlego. Uma paixão, disse eu. E falei "paixão" de forma tão ambígua que eu mesma senti o ambiente esquentar e ficar como se um vapor escarlate tivesse repentinamente se evolado do chão. E senti pena dele, coitado.

Sim, senti pena dele, eu era a cobra Selma, ele era o ratinho. A verdade é que, sob certo sentido, as mulheres não têm razão de queixa. Em primeiro lugar, essa conversa de que a maior parte da História da humanidade foi vivida sob o domínio masculino é bastante questionável. Hoje ninguém lê, mas o velho Robert Graves — grande Robert Graves, que eu desconfio que também era um fantástico mentiroso, um colhudeiro, esta palavra admirável que tem na Bahia para designar mentirosos de primeiro time, um sublime colhudeiro — tinha umas ideias sobre isso, de vez em quando eu leio, ele era inteligentíssimo, de bom gostíssimo, eruditíssimo. Hoje, a erudição acabou, a memória é a dos sistemas de armazenamento eletrônico. No futuro, a gente pagará a um sujeito para achar o que a gente quer nos bancos de dados, pois nem ir lá diretamente ou precisar disso a gente vai, a erudição acabou mesmo. Mas, graças a Deus, não acabou a inteligência. Robert Graves, vou ler de novo, *The Greek Myths*, tenho uma edição pequenininha, em *paperback*, já toda sebenta de eu tanto manusear. Então o Bob Graves e eu temos sérias dúvidas sobre essa questão de a mulher ter sido sempre dominada. O contrário, na verdade, é que parece que aconteceu. Mas isso não vem ao caso, não se pode querer ver a afirmação da mulher como uma vingança, agora vamos descontar e assim por diante, essa barbárie insuportável. Então, porque supostamente os homens nos oprimiram ao longo da História, agora é a nossa vez de oprimir os homens, para eles verem o que é bom. Não concebo estupidez maior, substituir uma merda por outra, preservando a baixaria humana. Em segundo lugar, você pode até alegar que isso forçou as mulheres a desenvolver aptidões pouco louváveis, como dissimulação, chantagem emocional e sedução com golpes baixos, mas a verdade é que as mulheres sempre tiveram um poder desmesurado sobre os homens, e muitos de bom grado prefeririam o inferno e todos os seus diabões a passar de novo pelo que lhes fez passar alguma mulher. O próprio machismo se voltou contra os machões, tornou o homem prisioneiro dele mesmo, obrigado a não chorar, não broxar, não afrouxar, não pedir penico. Aquilo que, numa primeira visão, oprimia somente as mulheres oprimia mais os homens, que até hoje vivem cercados por um cortejo de mulheres fantasmagóricas, reais e imaginárias, sempre prontas a esquartejá-los, se o pegarem fora desses padrões. E não adianta psicanálise, nem ficar arrotando liberações. Eles têm medo, eme-é-dê-ó, cagam-se de medo. Medo, teu nome é macho, não disse o Bardo, mas digo eu. Quanta mulher não comeu o homem que quis, apenas porque ele não podia recusar uma mulher? Uma mulher se tranca com um homem num quarto e diz que ele vai comer ela. Ele tem que comer, a não ser que ela seja o corcunda de Notre-Dame. Até mesmo recusar uma mulher obedece a normas, porque é estabelecido o direito de ela se ofender, se a recusa for feita fora das normas. Por exemplo, "você é feia, e eu não vou lhe comer", não se diz uma coisa dessas a uma mulher. Para não fazer uma inimiga mortal, o recusador tem que ser artista. já a mulher pode recusar perfeitamente e mesmo nos piores termos possíveis — "você nunca, tá?" —, as mulheres sabem do que estou falando, sou uma feminista esclarecida-progressista, sou um grande homem fêmea.

Sim, eu fiquei com pena dele. Pena propriamente não, preciso de uma palavra mais adequada. Fiquei numa postura meio filosófica, meio melancólica... Não é bem melancólica, é a de um sorriso chapliniano, talvez. Tem uma palavra inglesa que está zanzando aqui, em torno de minha cabeça como uma mariposa em torno de uma lâmpada. Detesto usar palavras estrangeiras porque as portuguesas me faltaram, me sinto uma débil mental, isso só se perdoa em alemão, que tem palavras para designar coisas que só alemão sente. Bem, não tenho inseticida aqui, *wistful*. Fiquei assim meio *wistful*, olhando para ele, como se eu estivesse à distância, destacada da cena. Eu tinha todas as armas, ele só tinha obrigações, só podia reagir como estava no código, e eu joguei tudo em cima dele. Bombardeio de saturação, artilharia e infantaria blindada. Eu já disse isso, mas posso repetir, para enfatizar, mesmo porque é verdade. Eu era linda de arrepiar, até hoje sou bonita, mas claro que não tenho o viço da juventude e sei que não tenho o mesmo olhar; depois dos quarenta, ninguém tem o mesmo olhar. Mas nesse dia eu tinha tudo, Deus me fez assim, lembro que fingia espontaneidade e casualidade, mas passava horas diante do espelho, às vezes nua, me admirando e ensaiando tudo, do riso ao andar. Tanto ensaiei que muita coisa, talvez tudo, passou a fazer parte de mim, não sei mais o que é natural ou o que me condicionei a fazer. Acho que me lembro do riso, sim, o riso é certo. Eu ria hi-hi-hi, me achava uma garrincha. E treinei muito para rir ha-ha-ha, tanto que hoje só rio ha-ha-ha e ainda lanço a cabeça para trás, nada disso é realmente espontâneo em mim. E então eu joguei tudo em cima dele, cada detalhe do vestido, do decote abotoado descuidadamente, das sobrancelhas, da boca, dos ombros, do pescoço, dos joelhos, dos pés, dos quadris, das pernas, eu sabia, eu sabia tudo. Ainda não sabia do que interessava a ele mais particularmente, mas já tinha uma vaga ideia. Pés. Mãos, minhas mãos de dedos longos mas suaves e cheios, as unhas compridas esmaltadas de vermelho. Lábios, olhos, dentes. Meus dentes até hoje são estas pérolas, todos naturais, nunca perdi nenhum. Meus dentes mordendo lentamente o ar entre meus lábios carnudos, minha língua passando quase imperceptivelmente por entre eles, eu era mortífera. Meu cheiro, minhas curvas, minhas harmonias, meus trejeitos, eu sempre enlouqueci os homens que quis enlouquecer, decifro todos, sei dos que gostam de entrevisões indefinidas, dos que sucumbem a um porte erguido, de todos os arquétipos que podem surgir neles, eu sei, tenho talento e estudei, aprimorei esse talento. É por isso tudo que eu disse que tinha pena dele, mas na verdade não tinha e não tive e não tenho, fico *wistful*.

Coitado. Quando nós ficamos a sós na sala, ele virou uma pilha, chegou a tremer, mas acho que já estava ligado na transação, claro que estava, embora nada de mais concreto tivesse acontecido nesse dia. Ficamos conversando quase meia hora e, quando nos despedimos, apertei a mão dele com força e prolongadamente e ruborizei de propósito novamente e disse "até logo, professor", como quem não queria ir embora, e nos olhamos enquanto ele seguia caminho. A partir daí, pode se dizer que já estávamos namorando. Era uma coisinha atrás da outra, todo dia um progressinho, mas eu fiquei impaciente e resolvi dar uma solução tão rápida quanto possível àquele chove não molha e afetei nova crise de nervosismo, seguida de renovada apelação vulgar, dane-se. Elogiei a mulher dele, dizendo que só podia ser uma mulher excepcional para atrair um homem como ele. Aí acrescentei que não podia falar aquelas coisas, ficava muito nervosa e botei a mão dele no meu coração outra vez, quer dizer, no meu peito, é claro, e desta vez dois dos dedos dele passaram da blusa e roçaram na borda de meu sutiã — veja como meu coração está palpitando, disse eu, eu vou morrer. E aí — tenha a santa impaciência, não dava mais para aguentar aquela lentidão — dei um beijo nele, um beijinho só, mas ele não se segurou e, para grande surpresa minha, me devolveu o beijo. Felizmente era perto do meio-dia como da vez anterior e ninguém estava por perto para espionar e, depois desse dia, passei a tomar todo tipo de ousadia possível sempre que tinha ocasião, passei o dedo pelos contornos do rosto dele, encostei o joelho no dele, botei logo para quebrar tanto quanto se podia naquela época, ainda mais eu querendo ao mesmo tempo manter a imagem de inocente enlevada. E o que eu falei mal de meu noivo foi um festival, coitado, ele apesar de tudo não merecia, mas eu precisava falar que já estava farta de rapazinhos, que não suportava mais imaturidade e falta de experiência e tudo mais que me ocorreu para compará-lo mal com o outro, sinto uma certa vergonhazinha até hoje, mas vale tudo na guerra e no amor.

O desvirginamento. Esse foi realmente um grande dia, a culminação de muita dedicação e trabalho árduo. Primeiro, tinha o lugar do encontro. Ele dava aulas de noite na Associação dos Funcionários Públicos, de maneira que a gente conseguia se encontrar pelos escuros. Quase sempre ele pegava o carro do pai emprestado e me punha dentro dele, depois de grandes cautelas para não sermos pilhados. Entrar em carro era muitíssimo malvisto, e os cafajestes, todos mentirosos e malfodidos e malfelizes, diziam coisas como "entrou no meu carro, eu meto logo a mão nas coxas" ou então "eu saio sacudindo as chaves do carro e pingo gasolina no lenço e o mulherio chove em cima de mim" — pabulagem patética, não faziam nada disso, cansei de entrar em carro e, se estava a fim do motorista, ter que me virar para ele fazer alguma coisa. Então o carro não era simples, com todos aqueles subterfúgios e sobressaltos. E, além disso, estava absolutamente fora de questão perder a virgindade num carro, não tinha nada a ver com meu script. Virgindade só se perde uma vez e, já que eu criara a oportunidade para me livrar dela do jeito que idealizara, não ia desperdiçar satisfação tão plena. Meu script era taxativo: requeria cama, com todas as letras. E transar em carro, francamente, só em certos casos, nas raras ocasiões em que tem o seu lugar, embora exista muita gente que tem uma certa perversão automobilística, adora trepar em carros. E, mesmo que não houvesse esses problemas, ele não queria tirar minha virgindade, foi uma luta. Até hoje dou risada, quando penso que estava com vontade de chupar ele havia não sei quanto tempo e, quando ele finalmente me chupou pela primeira vez — e muito mal, por sinal, cheio de dentes e usando a língua como um arado hipercinético —, eu disse "agora que você fez comigo, eu vou fazer com você, machuca? Você não vai derramar na minha boca essa coisa que espirra, vai?". Canalha, canalha. Mas não era o que queriam? Dançar conforme a música muitas vezes não é uma má ideia. E tive de vencer a impaciência, porque era a primeira vez que eu chupava um homem, claro, aquilo só ele, só ele, e então tinha de fingir que não sabia chupar com o vigor e a categoria que sempre tive, tinha que perguntar de novo se machucava, tinha que afetar falta de jeito, um saco, e eu doida que ele gozasse na minha boca e ele acreditando naquela frescura preliminar do "essa coisa que espirra" e tirando o pau fora de minha boca para gozar na minha mão, até que eu não aguentei e grunhi "goze na minha boca!" e reenfiei o pau dele tanto quanto pude na boca e só parei quando senti ele gozando quase em minha garganta; até hoje não deve ter entendido nada e por mim morre sem entender, certas burrices são indesculpáveis e é bom que haja mistérios insondáveis em nossas biografias.

O problema do local do crime não foi de resolução simples. Eu tinha um amigo, melhor dizendo, uma verdadeira amiga, que só faltava sair pela rua vestida de mulher, uma bicha francesa chamada Claude, que tinha uma galeria de arte em Salvador e que morava sozinha e me emprestava a casa na hora em que eu queria. Foi uma produção inventar um jeito de dizer a Zé Luís, sem levantar suspeitas, que nós podíamos usar a casa. Fui obrigada a dizer que ajudava o francês nos catálogos e nas montagens de exposições — de fato ajudava mesmo, mas não muito — e por isso tinha a chave, o francês viajava o tempo todo, não sei o quê, imagine a complicação. Arranjar um dia em que Claude pudesse emprestar a chave e sair de casa e, horror dos horrores, fazer com que esse dia coincidisse com os dias da tabelinha. A tabelinha, a famosa tabelinha! A tabelinha saía em certos livros ou em forma de folhetos sempre de aparência clandestina, que as mulheres não tinham coragem de mostrar e muito menos de comprar. Era uma verdadeira maçonaria, mulheres casadas compravam para dar secretamente às amigas solteiras, tudo se passava entre cochichos e trocas furtivas de embrulhinhos, referências em código, uma subcultura completa, hoje perdida como as revistinhas de Carlos Zéfiro. Alguns desses livrinhos eram aterrorizantes, com detalhes intimidadores sobre umidade vaginal, temperatura e tantas outras coisas que muita mulher deve ter preferido a castidade a tanta aporrinhação por uma coisa que já não falava à alma tanto assim. Agora existem programas de computadores para os católicos, naturebas, doentes e outros, que não usam ou estão proibidos de usar qualquer outro meio de evitar filhos. Só vi um, de relance, mas imagino que há algum em que a mulher digita os dados dela e ele responde: *"You may fuck safely tomorrow, Thursday the 16th, from 08:32 am to 10:46 pm. Remember, if you don't know your parmer well, it's always on the wise side to make sure he wears a condom"*. Ou *"Hi Peggy, here are your Fucking Hours for this week! Happy cavorting, tee-hee!"*. Não sei se gosto disso, mas, em todo caso, argumente-se que é um progresso. Hoje uma menina que se dá mal com pílulas ou está desprevenida pode clicar em três lugares e receber o sinal de FTF, *Free To Fornicate*, é outra coisa. Ajuda também a ter certeza da paternidade, quando se está dando para mais de um simultaneamente. Eu tenho uma amiga que não sabe os pais de dois de seus filhos, de tão panoramicamente que ela dava. Hoje, nem quer mais saber, mas isso foi um grilo durante certo tempo. Enfim, tudo vai ficando mais fácil, embora não necessariamente melhor. A tabelinha devia ser estudada por algum bom historiador, era uma irmandade secreta mais bem mantida do que o PC. Mas lá em casa, não, lá em casa o regime era diferente e pedi uma a minha mãe, que a providenciou logo e só fez comentar que já era tempo de eu ter minha tabelinha; se ela soubesse que eu não tinha, já haveria conseguido uma, minha mãe era extraordinária. Hoje me arrependo de não ter sido mais chegada a ela, mas foi tudo trauma de infância, eu acho. Tem gente que diz que tudo é trauma de infância e deve ser verdade. Eu tenho praticamente certeza de que minha mãe corneava meu pai com o irmão dele e talvez com outros, certamente com outros. Agora, você veja o que é que eu tenho com isso, por que é que eu tanto tempo pus isso em julgamento, logo eu? É, logo eu, sou constrangida a reconhecer, não sem uma certa vergonha, um ressentimento comigo mesma. Minhas emoções quanto a isso sempre foram muito confusas, eu mesma não compreendo direito. Eu sei que achava meu pai a maior tesão e tinha ciúmes dele e raiva dela e talvez tenha sido por isso que eu tenha feito aquilo com meu tio Afonso e de certa forma tenha me vingado de tio Afonso, ou dela com meu tio, uma confusão, depois eu vejo se destrincho tudo isso, depois eu falo em tio Afonso, primeiro eu quero acabar essa história da tabelinha e do dia D, em que finalmente Zé Luís, nervosíssimo, bateu na porta da casa onde eu já estava esperando, subindo pelas paredes de tanta ansiedade e já tendo me masturbado duas vezes, vários orgasmos intensíssimos.

A tabelinha falhava o tempo todo, arquivávamos casos e mais casos no folclore de nossa turma, mas era o menos ruim, descontando, é claro, a camisinha. Eu jamais admitiria ser desvirginada com camisinha, jamais! Imagine onde ficaria o trecho de meu script que dizia "enquanto ela dá um gemido abafado, entre a dor e o prazer da fêmea, ele a penetra com um só impulso vigoroso, abre-lhe mais as pernas, inicia um movimento de vai e vem profundo e, finalmente, entre gemidos de gozo, derrama-lhe nas entranhas o morno líquido vital, sem o qual ele não é nada, ela não é nada". Não, nada de camisinha, tinha que ser a tabela. Os outros métodos não existiam, mulher sofreu muito com isso através dos tempos, era muito cerceador da liberdade. Alguém pode acreditar que aconselhavam até sal lá dentro, pimenta-do-reino, azeite de oliva, uma verdadeira salada? Havia também umas tais injeções para atraso de regras, mas eu acho que na realidade eram abortivas e, como minhas regras nunca atrasaram, nunca precisei. Norma Lúcia pesquisava essas coisas nas bibliotecas e museus de tudo o que era canto aonde ia e descobriu receitas hediondas, como, por exemplo, uma do Egito antigo que prescrevia cocô de crocodilo, e outra, não sei de onde, cuja base era cocô de elefante. Acho que já falei que as putas gregas tomavam na bunda, Norma Lúcia viu um jarro no Museu Britânico, que eu também vi depois. O mundo tinha feito muito pouco progresso antes da pílula e desses outros troços, como o DIU. Como se matou e morreu por causa disso, meu Deus do céu. E eu, também já disse, não sabia que era estéril, então a tabelinha era sagrada.

Num prodígio de coordenação, uma autêntica operação de guerra, parecendo filme inglês de espionagem, finalmente chegou o dia. Quatro horas da tarde, eu daquele jeito que já contei, um maremoto de tesão latejante, ele atrasado, uma aflição. Tive que me conter para não cair em cima dele assim que passei a chave e o ferrolho na porta, mas consegui me segurar, fiquei em pé junto dele, e ele, depois de uma eternidade, pôs a mão no meu ombro e disse "como vai você?".

— Vou bem, vou bem. Vou nervosa.
— Nervosa?
— O que é que você acha? Minhas pernas estão tremendo.

Estavam mesmo e ele ainda demorou para fazer alguma coisa além de botar a mão no meu ombro, até que finalmente desencantou e, agarrados mesmo, fomos para o quarto que dava porta para o corredor e onde Claude tinha sua cama de casal para receber rapazes, um quarto penumbroso dentro de uma floresta de quadros, esculturas e bibelôs, com parte do teto e uma parede cobertas por espelhos. Sentamos na cama olhando fixo um no outro, eu fazendo minha melhor cara de corça no cio alcançada pelo macho, sem nem precisar muito, porque estava mesmo fora de mim de tesão. Ele me desabotoou a blusa, eu o ajudei a tirá-la, com um sorriso leve, sem mostrar os dentes e baixando os olhos. Ele me beijou bem, já tinha aprendido comigo. E pôs a mão no fecho de meu sutiã, novidade tecnológica na época, um americano que Norma Lúcia me trouxe de presente, do tipo que soltava com uma pressãozinha dos dedos. Meus dois peitos pularam livres, trêfegos e lindos como luas cheias, as aréolas rosadas quase apontando para o alto, os bicos tensamente enrijecidos, as curvas delicadas se desdobrando em mil outras sem cessar, e ele enfiou o rosto no meio deles. Não sei como, logo estávamos nus e deitados juntos e resolvi que ficaria o mais quieta possível na cama e só me mexeria em caso de emergência, para evitar uma barbeiragem mais grave, enquanto ele descia a boca dos meus peitos para o umbigo e finalmente lá embaixo, que foi quando eu não me controlei e segurei a cabeça dele entre minhas pernas e gozei tão profundamente que achei que ia morrer. Quando parei de gozar, pensei que ele ia querer que eu o chupasse também um pouco, e eu estava com vontade, mas, mal resvalei os lábios no pau dele, ele recuou os quadris, ficou de joelhos diante de mim e me disse, encantadorissimamente, machissimamente no melhor sentido:

— Abra as pernas para mim.

Eu abri, ele curvou meus joelhos para cima, afastou minhas coxas ainda mais — ai, que momento lindo! —, encostou a glande bem no lugar certo, agarrou meus ombros com os braços em gancho pelas minhas costas, abriu a boca para me beijar com a língua enroscada na minha e, num movimento único e poderoso, se enfiou em mim. Senti uma dor fina e quase um estalo, cheguei a querer deslizar de costas pelo colchão acima, mas ele somente enfiou-se em mim até o cabo e ficou lá dentro parado, me segurando forte, para só então terminar o beijo, erguer o tronco e começar a me foder, olhando para a minha cara. E então, com a expressão de homem mais bonita que já vi na minha vida e exalando um cheiro para sempre irreproduzível, gozou muito fundo dentro de mim e eu senti, senti mesmo, aquele jato me inundar gloriosamente aos borbotões, aquela pica grossa e macia pulsando ereta dentro de mim, ai! Eu não gozei, mas só tecnicamente, porque de outra forma gozei muito naquele momento, não posso descrever minha felicidade, minha profusão de sentimentos, me sentir mulher, me sentir fodida, me orgulhar de ter sido esporrada em meio a meu sangue, sem fricotes, como uma verdadeira fêmea deve ser inaugurada por um verdadeiro macho. Já li muitos livros eróticos e pornográficos, a maior parte detestável, já vi tudo, mas nada pode espelhar aquele instante, nada, nada, nada, nada, até hoje me masturbo pensando naquela hora, minha fantasia perfeitamente realizada.

Ficamos amantes uns tempos, até porque acabei meu noivado. Zé Luís se revelou uma cama de primeira categoria e, mesmo depois que nos afastamos, ainda dávamos umas incertas, uma vez na própria faculdade, lá no terraço. Depois dele eu comecei a achar meu noivo um chato com gosto de jujuba velha. Além disso, como eu podia dizer a ele que não era mais virgem e não tinha sido ele o autor da façanha? Sabia que certamente viria a encontrar esse mesmo problema no futuro, mas não me interessava, preferia não pensar nisso. Eu não conseguia suportar estar agora habilitada a todo tipo de sexo e ter de fingir que não estava. Começou a me dar um certo nojinho dele. É horrível quando isso acontece, tão horrível que muita gente se recusa a reconhecer que passou por isso, mas a verdade é que, antes de a gente se livrar de alguém, às vezes dá um nojinho. Horrível, até porque a pessoa pode não ter culpa, mas de repente fica nojenta, cheiros inaceitáveis, manchas de pele insuportáveis, roupas sujas repelentes, hálito ascoso, cabelo fedido, tudo irremediavelmente nojento. Como eu podia conviver com aquela contrafação toda, ainda mais numa idade em que todos nós somos radicais e intolerantes? Não podia.

Mandei-o à merda, dei um chute na bunda dele, no fim de uma noite em que, ele não sabia, mas eu estava dando a saideira dele. Aparentemente foi uma homenagem de despedida, uma consideração final, mas qualquer pessoa de sensibilidade nota que foi de uma escrotidão absoluta. Eu não tinha propriamente motivo para ser escrota com ele, mas eu queria, é o instinto pelvelso, como explicava uma negra lá da ilha, que ficava apreciando siris morrerem em fogo lento, xingando-os baixinho. O instinto pelvelso se apoderou de mim e então eu fiz isso, não há o que explicar. Saímos de carro e fomos para um morro do Rio Vermelho a meu pedido. Quando cheguei lá, abri a capota, fiquei de pé e tirei a roupa. Em seguida, mandei que ele tirasse também a roupa, enquanto eu me requebrava, em pé no banco de trás. E aí, com uma lua descomunal iluminando a barra da baía de Todos os Santos, eu encarnei todas as deusas do amor, todas as diabas desabridas que povoam o universo, a Luxúria com suas traiçoeiras sombras coleantes e seus estandartes imorais, seu chamado à devassidão, à dissipação e à entrega a todos os gozos de todos os matizes até chegar à morte lasciva, eu era a Luxúria integral, baixada ali para reinar como um espírito imisericordioso e invencível, naquele morro assombrado e suas redondezas petrificadas. Eu fiz tudo com ele, tudo, a ponto de achar que ele desfaleceria. E nem perguntou nada, quando eu sentei em cima do pau dele e ele viu que eu já estava longe de ser virgem. Não perguntou, nem eu disse nada. Depois de tudo o que fizemos, saí do carro, vesti a roupa, ajeitei o cabelo e a maquilagem, me compus com calma, voltei para o carro e, ao sentar, pedi com um sorriso recatado, quase pudico, que ele me levasse em casa. Fomos em silêncio e olhando para a frente, eu curtindo o vento no rosto e achando a paisagem muito mais bonita que de hábito. Quando chegamos, ele quis me beijar, mas eu fiz que não com a cabeça e o empurrei levemente com o antebraço. E, com a cara mais impassível do mundo, tirei a aliança, botei na mão dele, disse que me esquecesse, acenei bye-bye e entrei, ele lá fora com a aliança na palma da mão estendida, o queixo certamente tocando a cintura.

Passado o nojo, até cheguei a pensar que, num futuro remoto, ainda poderia dar para ele, mas ele ficou um desses coroas untuosos de dentadura reluzente, pele bronzeada e *eaux pour l'homme* ridículas, desses que você tem dificuldade em acreditar que algum dia já foi neném, ou mesmo rapaz jovem. E eu disse isso a ele, no dia em que ele veio me perguntar, na festa de aniversário de Julinho, aqui no Rio mesmo, a respeito daquela noite no Rio Vermelho, ele é obsedado por isso. Acho justo. Mas como vou explicar, se nem mesmo eu sei explicar? Claro, sei quem me desvirginou, mas nunca iria contar a ele, como ele pedia. Eu não podia resolver o problema dele, que hoje, para piorar, está grotescamente casado com uma mulher uns quarenta anos mais nova, bom candidato a chifres, se já não os ostenta. Por que digo isso, o que é que tem isso? Certo, certo, tem razão. Não sei. Acho que tenho um traço sádico, não sadismo físico, a não ser muito light, como quando fico querendo sufocar alguém sentando na cara dele ou puxando a cara para dentro de minhas pernas, coisa assim bem light. Já dei uns tapas, mas a pedido, em homens e mulheres, nunca curti muito. Nunca permiti que me batessem na cara, mas quis experimentar palmadas, chineladas e cinturão leve, não gostei, não repeti. Sou ainda menos masoquista do que sádica. Curto o sadismo superior, digamos assim, mas sem identificar-me com ele. É como tourada. Eu sei que há toda uma beleza entranhada nas touradas, toda uma cultura, toda uma mitologia, todo um conjunto de valores, não sou hostil aos aficionados, mas não gosto de tourada. Com sadismo e masoquismo, a mesma coisa. A *História de O* me deixou excitadíssima, mas eu não queria ser O. Nunca; mas curto, tenho sensibilidade para saber qual é a dela e saber como a dela pode ser um barato, digamos assim. É, tive algumas poucas experiências nessa área física, depois eu falo nelas, se for o caso. Considero meu sadismo psicológico muito mais interessante, inclusive porque é seletivo, é um prato feito para analistas. Exemplo desse meu noivo, muitos exemplos, exemplo de tio Afonso, o pior de todos. Tenho certeza de que contribuí substancialmente para o enfarte dele. Ele não valia nada, de qualquer jeito, comia a mulher do irmão, minha mãe. Eu de Hamlet nessa história, veja que maluquice, eu toda electra, toda hamletiana, em torno de um sentimento cretino como esse. A meu favor, diga-se que sim, eu fiz, ou quis fazer, coisas iguais ou equivalentes, mas nunca professei os valores que ele vivia arrotando com cara de santa puta arrependida, nunca fui a epítome da hipocrisia. Não, desculpa esfarrapada, não convence. Estou aberta à crítica, eu mesma já pensei muito nisso, de certa forma vivo pensando. Não acho nada demais o sujeito comer a mulher do irmão, mas não concordo em que o irmão de meu pai tivesse comido a mulher do irmão, meu pai. Neuroses. Por mais que me desgoste, sou obrigada a admitir. Traumas de infância. Bem, eu não estava pensando nisso, quando tio Afonso me sentou no colo e ficou de pau duro, eu ainda devia ter uns doze ou treze anos e o filho da puta ficou de pau duro comigo no colo, mas eu deixei. Não sei o que deu em mim, mas deixei e me mexi bastante em cima do pau dele e, desse dia em diante, toda vez que ele aparecia, eu sentava no colo dele, já tínhamos até umas combinações tácitas. Até que, mais ou menos um ano depois, no sítio dele, todo mundo foi passear a cavalo, e eu menti que não ia porque estava menstruada, e ele mentiu que tinha de supervisionar a limpeza dos coqueiros, já tínhamos acertado tudo antes. Dia quente, de libélulas zumbindo em voos baixos, calangos de cabeça erguida nos troncos das mangueiras, folhas imóveis, o sol retinindo no laguinho, uma fogo-pagou de arrulhos enervantes, um silêncio desagradável, que parecia imposto por aquele ar cristalizado. Eu demorei de propósito, sabia que ele estava ansioso, mas, quando cheguei, não fiz pirraça. Assim que fechei a porta, na sala pequena do segundo andar, marchei para ele sem dizer uma palavra e peguei no pau dele, patolei mesmo. Ele tomou um susto, mas se recuperou logo e meteu a mão por baixo de meu sutiã. Parecia desses filmes em ritmo acelerado, aquelas comédias do cinema mudo, um tal de puxa roupa, tira roupa, aperta pau, dá chupão, chupa peito, lambe xoxota, uma coisa impressionante. Só depois desse frenesi é que me deitei de barriga para cima no sofá, com o corpo meio para fora, as pernas abertas estendidas, o púbis empinado e atrevido — sempre tive um monte de Vênus lindo e pentelhos fartos na medida certa —, esperando que ele viesse de cabeça, como de fato veio, e chupava muito bem, habilidade surpreendentemente rara em homens, mesmo homens de valor. Em seguida foi a minha vez, mas eu disse que sabia que saía uma coisa lá de dentro, tinha lido num livro, e não queria que ele esguichasse aquela coisa na minha boca, como de fato não queria. Ele disse "claro, claro, tudo como você quiser", como se essa concessão de alguma maneira atenuasse a monstruosidade que ele achava que estava fazendo, e continuou com a sacanagem, muito boa realmente, até que gozou nas minhas coxas e eu também gozei na mesma hora.

Começou então a escravidão dele. No dia mesmo do banheiro, já mencionei esse dia, ele não queria me botar nas coxas em pé, atrás da porta de um banheirinho que nem bidê tinha, porque estava com medo de que a mulher dele, tia Regina, nos pegasse. Mas eu, que gostava do perigo de tia Regina nos flagrar, disse que, nesse caso, nunca mais faria nada com ele, ou ele topava ou adeus. Ele então topou e eu ainda lhe dei uma mordida no pescoço para deixar marca e ele ter de inventar uma história qualquer, ele que se lixasse, eu achava que não tinha nada a perder. Tia Regina não me suportava, morreu me odiando, meio caquética, mas ainda lúcida o suficiente para odiar. Claro que ela nunca teve condições de provar qualquer coisa, e eu fazia guerra de nervos, não tinha dó. Cheguei a pensar em comer ela também, mas não dava, só os perfumes que ela usava já broxavam qualquer um e, além de tudo, não acredito que ela caísse, era do tipo meu-negócio-é-homem, uma dessas antas falocêntricas, falófilas e falólatras que não morrem porque lhes falta vergonha. Para não falar que, sem eu ter nada com ela, meu domínio sobre o sacana era integral, era só dizer que ia contar tudo a tia Regininha — e ele sabia que eu era inconsequente, maluca e corajosa o bastante para contar — que ele ficava às portas da morte, quase apoplético. Apliquei até a tortura da gravidez nele, anunciei o atraso de umas dez regras, só para sacanear ele. Houve uma fase em que eu telefonava para a casa dele e dizia "só quero que você saiba porque estou me sentindo muito sozinha, eu só queria que você soubesse que meu incômodo até hoje não chegou e eu posso estar com um filhinho seu aqui dentro e eu fico pensando: será que vai ser bom, como será a cara dele?". Ele morria, morria; acabou morrendo, aliás. É claro que ele não metia em mim, mas me esporrava toda e eu sempre dava um jeito de que ele se lembrasse de que alguma coisa sempre podia escorrer para dentro de mim, eu também já tinha lido isso num livro. Ele andava com milhares de lenços nos bolsos, que tinha de jogar fora depois, para ninguém em casa suspeitar. Lembrando assim, a vida dele se tornou um inferno, e eu Satanás. Ele virou uma espécie de farrapo humano gordote, em que eu mandava e desmandava. Sempre quis comer minha bunda, e eu nunca dei, mesmo depois que aprendi. Contei a ele, em pormenores, que tinha aprendido e agora gostava muito, falei longamente sobre os rapazes que me comiam, menti um pouco, floreei bastante.

— Então agora me dê, me dê. Agora você não tem razão para não me dar essa bundinha linda.

— Eu não.

— Mas por que não? Não, você vai me dar, você vai me dar, você está brincando. É mais dinheiro que você quer? Claro, tenho lhe dado pouco dinheiro, estupidez minha, de quanto você está precisando? Eu lhe dou o dinheiro que você quiser e você vai me dar essa bundinha que eu estou alisando tão gostoso, não vai?

— Eu não.

— Me dê, está aqui, agora não tem problema, você pode dar, eu faço tudo o que você quiser.

— Não dou. Pode pegar, pode alisar, pode apertar, pode beijar, pode lamber, pode dar mordidinha, pode ver tudo o que quiser, mas eu não dou.

Nunca dei. Deixei alisar, deixei pegar, deixei abrir, fiquei de quatro, mugindo e chamando ele de meu touro, deixei beijar, deixei meter a língua um bocadinho, exibi muito a bunda, mas nunca dei. Cansei de ficar nua, com ele correndo atrás de mim no quarto e eu fazendo poses de sílfide esvoaçante e falando mais ou menos parnasianamente, arcadicamente, romanticamente. Assim prometi a ele que um certo dia, num incerto porvir, em incerto arrebol, nesse incerto dia com certeza eu daria ao certo, ele podia ter como favas contadas, tripudiei o que foi possível, mas nunca dei, e eu sabia que nunca ia dar, ele não sabia. Quer dizer, sabia, mas tinha esperanças voluntaristas, era um babaca do mais alto coturno, não sei por que minha mãe dava a ele, só se meu pai era ruim de cama, coisa sobre a qual nunca vou poder testemunhar, esta vida é ingrata mesmo. Nem tampouco dei a ele pela frente, acho que foi isso que acabou matando ele, porque, quando eu finalmente resolvi contar que não era mais virgem, ele endoidou e me ofereceu absolutamente tudo o que eu quisesse, pago antecipadamente, mas eu não dei. Uma vez ele estava em pé e eu chupando o pau dele sentada, sem botar as mãos no pau, como ele gostava — de vez em quando eu fazia as coisas mínimas de que ele gostava, não só porque também não sou nenhuma Torquemada, como porque gostava de mostrar como podia fazer dele gato e sapato — eu estava chupando ele muito aplicadamente mas pensando em artistas de cinema e aí resolvi isso que vou contar. Sem quê nem para quê, disse a ele que ia lhe dar minha bundinha; mas antes ia chupar mais um bocadinho; e então cantei *Eine kleine Nachtmusik* assim: "Vou, vou-vou, eu vou é lhe chupar! Vou, vou-vou, eu vou é lhe chupar!". *Allegro vivace*: "Vou-vou, lhe dar a bunda, vororororô, mas você vai broxar!". Mais ou menos assim, agora não está saindo, mas na hora encaixou tudo certinho, notadamente a intenção, porque, quando ofertei minha bunda e disse que já tinha feito muito bem a minha parte e agora era com ele e acrescentei um "venha logo" petulante, ele obviamente broxou. Visão patética, ele choramingando "mais uma chance, mais uma chance" e eu respondendo "menos uma chance, menos uma chance", não sou realmente tão boa quanto gosto de me achar, embora me tenha na conta de enviada de Deus, sério mesmo. Mas não fico metida a besta com isso, antes humilde. Pode parecer mentira, mas eu acredito muito em Deus, foi Ele Quem fez tudo, louvado seja Deus. Existe maior sádico, no melhor dos sentidos, do que Deus? Não precisa ler Sartre, que já foi a moda das modas, basta participar de um papo de botequim filosófico. Deus, Deus, Deus, eu acredito muito em Deus, acredito na Providência Divina, acredito mesmo. Preguiça de explicar a quem é preso a paradigmas hebraicos ou conciliares. Simpaticíssimos, os meus budas ditosos, impossível deixar de gostar deles.

Meu querido tio Afonso Pedro, de saudoso sarro, foi quem me deu a bolsa de estudos para Los Angeles. Ele perguntou se, depois que eu voltasse, dava para ele de verdade e eu disse "dou esta bundona linda, ponha a mão debaixo de minha saia e pegue aqui para sentir, pegue debaixo da calçola, passe a mão na minha regadinha", e ele pegou e passou a mão fora de si e, quando eu voltei, ele cobrou, e eu disse que estava com a cabeça mudada e não dava nada, foi aí que ele deve ter começado a estuporar e teve um enfarte na frente da televisão, vendo um filme policial americano, ele venerava os americanos, grande babaca. Bom filho da puta, não tenho a menor gratidão pela bolsa, acho até que foi muito pouco para ele transar com uma menina de minha categoria, muitos quiseram mas nem tantos conseguiram, só os que eu quis. Numerosos, numerosos, graças a Deus, mas somente os que eu quis. Eu sempre tive as coxas poderosas: de frente, redondas e bem talhadas, terminando em joelhos perfeitos; de lado, com aquela cavadinha que até hoje eu tenho, uma escultura sutil que entontece qualquer conhecedor do assunto; de trás, é até covardia falar. Bom, eu sempre tive um senhor par de pernas e coxas, não há como inovar na descrição. Um senhor par de pernas e coxas, pronto, embora eu ainda ache que merecia algo mais elaborado, não é justo. E "poderosa" está sendo uma palavra muito desgastada, como aconteceu com "gênio" e, antes, com "formidável". Uma pena, porque não acho outra, coxas poderosas, é isso, mas é muito mais, um poder não só físico como emocional e psicológico; é, poderosas. Formidáveis, no sentido antigo, também servia, embora não tanto. Narcisa, não é verdade? *Oh well.* Bom, eu sempre tive grandes coxas. E sei usá-las como órgão sexual de primeiro escalão, principalmente em pé, já vi muito homem despencar na minha frente, às vezes era muito bom. Volta e meia me assalta a vontade de escrever um livro sobre isso, porque sei que é uma arte que está se perdendo e é uma pena. Tomar nas coxas é insubstituível, e eu estou segura de que, no nosso imenso Brasil, agora mesmo, há centenas de milhares de mulheres e muitos rapazes tomando nas coxas, geralmente em lugares de alto risco. Isto, naturalmente, faz parte. Espero que o progresso não venha, mais uma vez, matar o desenvolvimento e a evolução desejável, assassinando essa arte veneranda. Não percebemos uma porção de valores culturais importantes, ficamos pensando sempre em cantorias nordestinas, Aleijadinho, escolas de samba e macarronadas paulistas, mas e o bom e velho *ante portas*, de tanta, tão intricada e colorida história? Onde fica ele? Onde ficam as coxas? Terá meu tio morrido tão ingloriamente que seus feitos comigo não farão sentido para as gerações futuras?

Pues que sí, si es así, por supuesto... Não tenho gratidão a ele por nada, nem pela bolsa nem por nada, nem mesmo pelos bons orgasmos juvenis que ele me proporcionava e ajudavam a dar vazão a minha energia sexual compulsiva, nem mesmo porque tive experiências mais ou menos raras. Não que eu possa botar o dedo em cima de alguma vantagem que isso porventura signifique, mas há um quê de singular e interessante em ter na memória o tempo em que gozei com um homem chamando-o de "titio", ou "meu tio". Sim, certamente não há vantagem nisto, mas eu já comi um tio, alguma coisa há de significar. Eu gostava de trepar dizendo "titio", mas ele não sabia disso. E também tive orgasmos muito melhores, inclusive e notadamente com parentes próximos, como Rodolfo. Esse tio só tinha a grande vantagem de eu poder exercitar meu sadismo especializado numa boa, sou uma sádica competente. Algo me diz, contudo... Algo mente mesmo pra caralho. Parêntese: agora eu quase gaguejei e cheguei a cogitar dizer "pra caramba", como tenho ouvido por aí. Que horror! Como a maioria dos eufemismos, que coisa pequeno-burguesa atrasada. Todo mundo sabe que a pessoa está querendo dizer "pra caralho" e, em vez disso, em vez de procurar decentemente outra figura de linguagem, usa esse barbarismo intolerável. Todo mundo que diz "pra caramba" para mim é um imbecil. Normalmente não me ocorreria dizer essa coisa inominável, mas deve ter sido porque o que estou falando vai ser, espero eu, escrito, digitado e impresso. Quer dizer, eu ainda padeço, embora me gabe de não padecer, da relação ritualística que o babaca do ser humano mantém com a palavra escrita. Terá sido por isso que a escrita era inicialmente privilégio de sacerdotes e depois de monges? Ou por causa disso existe essa reverência cretina? Não sei, já falei nisto antes, mas não me canso de falar. Chega ao ponto de muitos débeis mentais se orgulharem de "falar como se escreve", como se a grafia não fosse uma tentativa muito defeituosa de engessar as palavras em símbolos metidos a fonéticos, como se se pudesse pedir a um chinês para falar como se escreve, como se a escrita tivesse precedido a fala. Ouço gente pronunciando os emes finais, como se esta merda desta língua fosse inglês. Umaúm, dizem eles, e não apenas nasalando o som do *u*, em "um-a-um". Se fosse assim, "um alho" era a mesma coisa que "um malho", "um olho", "um molho", e a língua ficaria inviável. Outro abléptico que eu conheço — só quem estudou medicina legal é que sabe estas palavras, quem quiser que vá ao dicionário — pronuncia a palavra "muito" como se escreve, ou seja, "múito", sem nasalação do *u*. Ai! Realmente, somos uma espécie muito atrasada e só faltamos bater a testa no chão para coisas a que não daríamos a mínima importância se fossem somente faladas. Estão escritas, assumem sacralidade, tanto assim que, como eu também já disse, certas palavras nunca adquiriram passaporte para a escrita e, quando conseguem penetrar pela mão de algum mártir, são logo deportadas de volta, condenadas à clandestinidade ou confinadas em guetos, como fazem com gente. Ridículo, patético, mas inelutável, as palavras são de fato um mistério, um dia eu escrevo um livro louco, só quero escrever um livro louco, em que as palavras possam detonar, explodir em todos os tipos de significados, provocar todo tipo de reação. Eu queria libertar todas as palavras, eu sei que isso parece veadagem de poetastro juvenil, mas que é que eu posso fazer, é o que eu sinto, eu queria libertar as palavras. Idiota, você também. Acaba delírio linguístico, fecha parêntese.

Algo me diz, falava-lhes eu... Ha-ha-ha-ha! Ha-ha-ha-ha! Ai, meu Deus... Desculpe a crise de riso, mas eu me senti, não sei por quê, meio Lacan, declamando todas aquelas baboseiras desconexas e ininteligíveis, e os crentes tentando decifrá-lo como quem decifra Nostradamus ou a pitonisa de Delfos, quando é claro que ele mesmo não sabia que merda estava falando, suspeito que tomava qualquer coisa para o juízo. Descia as ventas numas quatro carreirinhas gordas e ia à luta. O que se fala e escreve de merda engalanada na França é inacreditável, eu mesma nunca engoli nada dessa empulhação que confunde ininteligibilidade e chatice com profundidade, nem Lacan, nem Godard, nem Robbe-Grillet, nada dessas merdas, tudo chute e chato, e quem gosta é porque foi chantageado a gostar e, no fundo, se sente burro. Sartre ainda tinha umas coisas, se bem que *L'Être et le néant* é a mãe dele, mas ainda tinha umas coisas, às vezes era arrebatador. Não, não tenho nada que me sentir como Lacan, eu... Ha-ha-ha, desculpe, é dessas crises de riso que a gente não consegue deter. Lacan... Imagine a cena, um maluco furibundo, com o miolo cheio de cocaína ou anfetamina, despejando aquela enxurrada amazônica de non sequiturs esbugalhados em cima de uma plateia que nunca entendeu e até hoje vive tentando comicamente entender e terminando por falar do mesmo jeito e acabando invariavelmente por infelicitar alguém. Ele não escreveu porque, provavelmente, não conseguia sentar para escrever. Tem gente assim. Eu também, quando ficava ligadona, era assim, não parava quieta, nem na cama. Devia haver um nome para essa doença, ou pelo menos para alguns de seus sintomas. Não a doença dele, que era uma variante neurológica maligna de glossolalia, nada de extraordinário. Eu me refiro à doença dos religiosos dele, os iniciados, os sacerdotes e, naturalmente, os que usam o tal "tempo lógico" — como se o Mestre dos Mestres jamais houvesse proferido alguma coisa de lógico — mais espertamente, só deixando o sofrente falar dois minutos e mandando-o às favas para ter tempo de atender a mais noviços. Lógico para o bolso; é uma.

Não, eu não tenho nada a ver com Lacan; sim, *there is method in my madness*. Algo mente muito, já disse e repeti, mas, como de hábito, vou esquecer isso e mais uma vez dar-lhe crédito. Algo me diz que não sou uma sádica, digamos, geral, sou uma sádica seletiva. Com Rodolfo mesmo, com Rodolfo, como era diferente! O pior dia de minha vida foi quando eu voltei para casa quase amanhecendo e lá estava o recado de que Rodolfo tinha morrido num desastre de carro. Ele ainda chegou vivo ao hospital e perguntou por mim. E eu na casa de Chiquinho, cheirando pó com Fernando, Marcito, Miltinho, Eliana, Rita e Laís, aquelas coisas de pó, que na época eu achava a verdadeira redenção da consciência e da convivência perfeita entre a razão e prática, e hoje acho uma merda aviltante. Lembro que Eliana, que também tinha uma tesão de jegue nele, havia combinado que a gente ia fazer uma suruba. Cheguei lá trincada e morta de raiva da pobre da Eliana, que até hoje felizmente é minha amiga. O padre e os médicos nos olharam atravessado, ele tinha acabado de morrer. Não esqueço aquele instante pavoroso, a gente completamente louca, de olhos arregalados, fazendo bico e suando como chaleiras e eu mal segurando a vontade de esculhambar o padre, e meu irmão morto. Dei um beijo na boca dele e fui ao enterro de óculos escuros e cheirei no cemitério, passei o resto do dia enfurnada no quarto e o resto do mês odiando o mundo e uns bons anos desatinada e a vida desamparada. Eu era louca por meu irmão, ensandecida, fanática, quem falava qualquer coisa dele virava meu inimigo. Ele era lindo, parecia comigo, só que mais bonito ainda, era grande como eu, tinha os mesmos lábios, os mesmos olhos verdes, um bigode indizível, desses que descem pelas comissuras quase como o dos mongóis do cinema, só que mais cheio e menos comprido, era a pessoa mais carinhosa que se possa conceber, tinha um canto de olho enrugadinho como eu nunca vi em ninguém, a voz só um tantinho rouca, mas forte, os pés enérgicos, suaves, doces, violentos, tinha as mãos mais sexy que alguém pode ter, tinha uma bunda esplendorosa, não há palavra para descrever aquela mistura realmente inefável de masculinidade e feminilidade, aquele jeito de deitar de bruços com as pernas dobradas, aquele sorriso entre maroto e tímido e no fundo resoluto, uns dentes como nunca houve dentes, esporrava mais longe e fartamente do que jamais algum homem esporrou, tinha um pau lindíssimo, delicado e ao mesmo tempo afirmativo e mais duro do que a consciência da Alemanha, tinha uma inteligência acachapante, umas virilhas de cheiro inebriante, os cabelos mais macios do planeta, uns grunhidozinhos impossíveis de imitar, umas caras tão lindas na hora de trepar — e olhe que já vi as mudanças de cara na hora de trepar mais espetaculares, como é bela a mudança de cara na hora de trepar, é o conhecimento absoluto —, tinha orgasmos pelos peitos igual a mim, orgasmos completos, tinha um ofegar inimitável na hora de gozar, tinha a melhor trilha sonora de que já participei, tinha um umbigo irrepreensível, entre pelos mais macios que barriga de ovelha, tinha o melhor nariz que já entrou pelas minhas pernas acima, um cangote irresistível, tinha um saco que dava imediata vontade de beijar e lamber e que me fazia gozar quando esfregava a cara nele, tinha um jeito de bater punheta para gozar na minha boca só na última hora que até agora me deixa endoidecida, tinha uma maneira de me penetrar por trás que eu nunca esqueço, oferecendo lindo seu pau ereto para que eu chupasse e molhasse e depois metendo tudo dentro de mim, eu de quatro e ele amassando meus peitos e me xingando e fazendo questão de puxar o pau para meter de novo devagar até o fundo e mordendo meu pescoço e me puxando pelos quadris e eu abrindo a bunda com as mãos para ele me meter ainda mais fundo, ele tinha tudo, tudo, tudo, ele me comeu de todas as formas que ele quis, e eu também comi ele, eu adoro meu irmão, nunca mais a vida foi a mesma coisa, ele estava sempre, ele era sempre, eu nunca podia ficar só porque ele existia, ele era minha referência e meu parceiro básico, meu macho e minha fêmea, ele me deixava molhada todas as vezes em que me tocava, ele anunciava que ia gozar em mim como um césar em triunfo, me elogiava antes, durante e depois, o pau dele pulsava em minha boca antes de ele gozar, todas as minhas entradas palpitavam antes de ele meter, eu subia para o céu quando ele levantava meu traseiro e me transfigurava numa potranca sendo enrabada pelo puro-sangue seu irmão, o único que soube ser tudo, macho, puto, fêmea, descarado, sádico, masoquista, mentiroso, verdadeiro, lindo, feio, disposto, preguiçoso, lindo, lindo, lindo, lindo, meu irmão Rodolfo.

 Ele teve três mulheres, Cláudia, Verena e Cida, hoje a viúva oficial. Me dou muito bem com ela. Me dou bem com todas as três, aliás. Três mulheres superiores, cultas e finas, as três sabiam que eu era tarada por Rodolfo e até tinham uma certa apreciação estética por isso, sempre nos demos muito bem mesmo, e Verena nós chegamos a comer juntos algumas vezes. Ela topava com muito espírito esportivo, mas acho que preferia ler e jogar a sexo, era uma coisa que, quando ela fazia, divertia-se razoavelmente, mas, quando não fazia, parecia não sentir falta. Caso mais comum do que se pensa, é algum aleijão ainda não adequadamente estudado. A moderação sempre me intrigou, não consigo compreendê-la direito e tenho um certo medo dessas pessoas deliberadas e pausadas, que pensam no que lentamente falam e fazem sempre o que devem fazer, nos limites que querem observar. Só consigo ser desabrida e só me dou efetivamente bem com os desabridos, seja como pessoas, seja como artistas ou pensadores. Cida era diferente, mas nunca chegamos a ter nada. Ela cheirava e eu também, e tivemos um frete, como se diz na Bahia. Nunca pintou nada de concreto, só uns beijos na boca e uns amassos, mas eu creio que, se Rodolfo não tivesse morrido, acabava acontecendo alguma coisa. Cida beijava muito bem e sempre me alisava muito, e a gente sempre se amassava nos peitos, nas despedidas. Uma vez, a gente cheirando, Rodolfo pediu para mamar em mim, e ela ficou assistindo, pegando em meu outro peito, me beijando na boca e se esfregando em nós. Mas o negócio dela era mais falar, pensando bem. Isso acontece muito com pó, Fernando que o diga, Deus o tenha, morreu de enfarte também e me deixou umas coisinhas.

História de minha vida, ai minha história, tão rica, tão curta. Vittorio Gassman tinha razão, numa entrevista que eu vi na tevê: a vida devia ser duas; uma para ensaiar, outra para viver a sério. Quando se aprende alguma coisa, está na hora de ir. Desde que meus peitos cresceram, nós começamos a brincar de mamãe e neném, mesmo ele sendo mais velho do que eu. Eu me sentava, ele deitava a cabeça no meu colo, eu tirava um peito, punha os dois dedos perto dos mamilos, ele mamava de olhos fechados e mais ou menos gemendo, e ficávamos assim um tempão. Depois eu mudava de peito e ele continuava a mamar. Depois a gente evoluiu e eu ficava afagando o pau dele, enquanto ele mamava. Depois evoluímos ainda mais. Eu nunca ficava nua, só tirava os peitos, mas ele ficava nu. Depois foi indo, foi indo, a gente praticamente começou a transar, e eu fiquei para sempre cativa da bunda dele. Não havia nada melhor no mundo do que comer a bunda dele. Ele botava um travesseiro embaixo dele, e eu o cavalgava com um prazer que nunca senti, nem com homem, nem com mulher, nem com veado, aliás eu não gosto muito de transa com veado, só por amizade, amigos veados eu tenho muitos, me dou bem com eles. Com Rodolfo, a bunda era um gozo monumental, não só porque ele era especial, como porque fazia a mulherzinha sem deixar de ser macho, é indescritível, só presenciando, só vivenciando. Eu o possuía todo, este tem que ser o termo, enroscada nele, me esfregando nele com força, abrindo-o para me esfregar bem fundo, e ele se deixava comer lindo, um deus dourado debaixo de mim, e eu mordia a nuca dele, amassava os peitos dele, apertava o pau dele, e ele voltava o rosto para me dar a língua quando eu pedia. E depois ele me comia. Geralmente era ele me chupando e eu alisando a bunda dele, mas eu também gostei muito quando ele passou a me comer por trás, eu levantava a bunda na hora em que ele ia meter e adorava quando ele me pincelava e fazia que ia entrar mas não entrava, até que aquele pau grossão se enfiava todo em mim — ninguém me venha com essa história, muito citada por aí e até sacramentada em pesquisas pseudocientíficas, de que pau pequeno não faz diferença, claro que faz, um pau bem dimensionado preenche apropriadamente a mulher e é um visual estimulante e excitante, nada desse negócio de pau pequeno. Isto é uma das muitas balelas que nos forçam pela goela abaixo. As únicas mulheres que apreciam pau pequeno são as que, de uma forma ou de outra, têm medo de pau, seja porque sentem dor, seja porque são ruins da cabeça. A mesma coisa é pau mole. Claro, são os homens que espalham histórias terríveis sobre o que outros, nunca eles, ouviram de mulheres com quem broxaram. As mulheres, de fato, não costumam esculhambar os homens que broxam com elas, são invariavelmente compreensivas e até solidárias tanto quanto podem ser, e algumas chegam a se culpar pelo malogro. Mas mulher plenamente sadia gosta de pau duro e gosta de penetração. O resto é conversa de consolação, que até convém a algumas, que com isso ocultam o que lhes interessa ocultar. Escreva-se: a) nenhuma mulher gosta de pau mole; b) excetuadas dimensões aberrantes e as outras variáveis sendo equivalentes, o pau maior e mais vistoso é preferido. Evidente que o principal, principalíssimo, é quem é o proprietário do pau. Mas aí, se é pequeno, a mulher apenas deixa para lá, embora preferisse que fosse maiorzinho; é mais satisfatório, por alguma, ou várias, razões. Esta é que é a realidade, o resto, repito, é onda e pensamento voluntarista. Não que não haja muitos casos em que o homem de pau pequeno oferece compensações inestimáveis, mas mil vezes um pau digno desse nome, Rodolfo, Rodolfo! E nenhuma mulher sadia tem nojo de esperma, outra coisa que precisa ser bem esclarecida. Eu li não sei onde que alguns muçulmanos consideram ofensa suprema a mulher cuspir fora o esperma derramado em sua boca por seu homem. Eu concordo, é uma selvageria, um sinal de baixa extração, falta de formação, de classe, de cultura, de sofisticação. Cuspir o esperma só é admissível ou quando se quer insultar um homem ou quando se quer pô-lo em seu lugar: você pode ser bom para eu me distrair chupando seu pau, mas não é bom o suficiente para eu engolir sua seiva, me recuso a devorá-lo, não dou às suas células essa intimidade com as minhas. Eu sou maluca. Sim, e então Rodolfo e eu evoluímos outra vez, como é bom contar isto. Eu dava de mamar a ele nos peitos e, em seguida, tirava as calças, separava meu clitóris dos grandes lábios, apresentava-o com todo o carinho e ficava vendo ele mamar, geralmente tocando depois uma punhetinha nele. Ficamos ótimos nisso, fizemos isso até ele morrer, apesar de também transarmos de todos os outros jeitos. Quando ele mamava entre minhas pernas, quase sempre com a cabeça recostada na parte interna de minha coxa, eu me sentia a mais completa das mulheres, me sentia a Grande Mãe, me sentia não sei como, só alguém que já fez isso é que sabe, só as mulheres. Os homens, quando sensíveis, sabem também um pouco, porque têm uma teta que é o pau e espirram um leite que é o esperma, mas seguramente na mulher esse sentimento é muito mais amplo e visceral, é intransmissível oferecer o clitóris como quem oferece um bico de peito e ver aquele homem mamando, ainda mais quando é o irmão. Ele encaixava tão bem aquele queixo lindo em meus baixios mais secretos, eu queria que o corpo dele todo entrasse em mim, queria me misturar, sexo somente não era bastante, eu queria me fundir com ele. Rodolfo. Rodolfo. Meu amor.

    Eu não vou fazer conferência, prometo que não vou fazer conferência, sei que é um hábito intolerável, mas não posso deixar de fazer um adendo em relação ao incesto. Sou como Bernard Shaw, não basta mostrar, tem que explicar, senão as pessoas não entendem. Claro que as mulheres de Rodolfo estavam cansadas de saber que muita coisa mais do que beijinhos havia entre nós, eu nunca escondi que tinha loucura por ele, embora sem precisar até que ponto e assim por diante, mas sempre me indignou ter que esconder o que para mim é a coisa mais natural do mundo. Tenho absoluta certeza de que o número de irmãos que transa com irmãs, tios e tias com sobrinhos e sobrinhas, pais com filhas e mães com filhos, ad infinitum, é muitíssimo maior do que a nossa hipocrisia admite, e não há razão por que deva ser de outra forma. E primos criados juntos? É universal — *cousinage, dangereux voisinage*. Antes de se poder evitar filhos com segurança, vá lá, havia uma razão genética. Mas não hoje em dia, mesmo antes da pílula, quando se podia fazer um aborto nas melhores clínicas, bastando ao

médico usar o nome artístico de curetagem. Incesto era normal no Egito antigo, Juno era irmã e mulher de Júpiter, todo mundo comia todo mundo, é natural, artificial é a noção de incesto como um mal em si, não tem nada de intrinsecamente mau no incesto, antes muito pelo contrário, é uma força da Natureza, é natural! Não é obrigatório, mas é natural. Acho burro ou mentiroso quem se escandaliza com eu ter comido meu irmão e meu tio, para não falar em primos, cunhados e quejandos. Eu me arrependo de não ter comido meu pai, hoje me arrependo, tenho certeza de que, armando um bom esquema, eu conseguiria, ele também era normal, e eu adorava ele e bem que eu podia ter contracorneado minha mãe, ia fazer bem a todos os envolvidos, até a tio Afonso, quem sabe? E nisso eu sinto lá a cara feia do preconceito, fico puta com essas contradições, mas neurose é neurose. Tenho de admitir que sou uma nevropata, talvez no feliz dizer de Euclides da Cunha. Porque também acho esse negócio de cornidão o maior atraso de vida, ninguém é monógamo, nem homem nem mulher, só degenerado mesmo, masoca, deslibidado, doente da cabeça gravemente. Ficar casado com a mesma pessoa a vida toda, ótimo; até tenho admiração sincera por esse tipo de santidade e pode-
-se mesmo alegar que passei a minha vida toda casada com Rodolfo e presentemente sou viúva dele. Agora, nunca ter querido dar uma escapulidinha de vez em quando, nunca ter fantasiado uma trepada fora é mentira. Mentira que muito raramente pode ser sincera, mas, mesmo nestes casos, não deixa de ser mentira. Todo mundo é corno, mesmo que não seja, por uma mera questão conjuntural técnica. Sei de muita gente a quem esse reconhecimento incomoda tremendamente, traz mudanças de assunto, crises de melancolia, irritabilidade e surtos de suores frios em bibliotecas, livrarias e cinemas. Alguns homens, até liberais, não suportam a ideia de suas mulheres verem fotos pornográficas, não querem que isso exista para elas, coitados. Acham que, por não deixarem que a mulher veja certos atos e observe o pau de outros homens, elas não vão fazer isso por conta própria se resolverem, ou passarão a vida na crença de que só o marido tem pau, o maior do mundo, e ninguém faz safadagem. E mulheres que criam caso porque seus homens veem fotos de mulheres peladas, também coitadas. Luta mais besta não pode haver, melhor seria que

todo mundo fosse foder numa boa e deixasse de aporrinhar o juízo alheio. Mas parece que a humanidade acabará e isso não acontecerá. Não existe ninguém razoavelmente normal que não pense, ou tenha pensado, em prevaricar. Nesse ponto, como em muita coisa mais, eu fui pioneira, numa geração obscuramente pioneira. Quando eu fui morar com Fernando, em 62 ou 63, nunca sei direito, já velha para os padrões da época, ele sabia tudo sobre mim e sabia até que eu tinha prometido a bunda a tio Afonso para quando voltasse de Los Angeles, só que, verdade seja dita, Fernando tinha certeza de que eu ia sacanear meu tio e não ia dar nada. Mas o resto ele sabia. Única combinação: fodeu na rua, contava ao outro. Corolário: o fodedor ou fodedora da rua tinha que saber que a gente contava tudo um ao outro. Mas não contava realmente tudo, esse tipo de combinação nunca funciona cem por cento. E olhe que a gente comia muito as mesmas pessoas, o que facilitava as coisas. Não resolve, até ciúme aparece, é inacreditável. Mas é melhor do que nada, pelo menos a gente não mente nem finge e dissimula tanto, melhor que em muitos conventos.

Isso pode parecer bobagem, mas não é. Evita muita aporrinhação posterior e é fruto da minha experiência. Como dizia um professor maluco de processo civil, a respeito do corno, dói ao nascer, mas ajuda a viver. Teve gente que se negou a me comer quando eu disse que ia contar a Fernando e muita gente que se negou a comer ele, quando ele disse que ia me contar. Teve uma mocinha que eu comi aqui no Rio e me esqueci de fazer aviso prévio, não pensei que ela fosse se importar. Mas, quando eu estava com ela na cama outra vez e disse casualmente que já tinha contado tudo a Fernando, ela ficou nervosíssima, não acertou a conversar mais sobre nada e foi embora sem graça, desapareceu e até hoje finge que não me vê na rua. Mora aqui, nesta mesma rua, e só falta correr quando topa comigo. Aconteceu muito. Em Los Angeles, teve o caso de Mark e Kate, que eram recém-casados, fumavam maconha, faziam o gênero avançadex. Ela não saía assim à rua, mesmo porque corria até o risco de ser presa, naquele tempo em que a *Playboy* não mostrava pentelho e era banida de muitas comunidades e vista pelos liberais como símbolo da liberdade e da democracia — para a gente ver como são as coisas, a *Playboy* já foi baluarte da democracia e da liberdade, inclusive aqui no Brasil, eu me lembro de tudo —, ela não saía desse jeito, mas andava de vestido de malha em cima da pele pelos corredores de nosso prédio, mesmo andar. Gostosíssima, lábios carnudos, cabelos fartos caindo pelos ombros, olhos azuis enormes, uma bunda de Rosanna Schiaffino, um pau de mulher, enfim, como se diz na ilha, um burro duma mulé mesmo. E os dois já estavam praticamente no papo. Eu me esfreguei em Mark uma porção de vezes e toda vez que batia com ele sozinho no elevador dava-lhe um chupão rápido, disse a ele que queria ir para a cama com ele, só não pintou porque não tinha que pintar, e também patolei Kate e dei um beijão na boca dela na varanda, e Fernando pegou no pau de Mark e nos peitos de Kate, tudo certo, certo, certo, *in the bag* só faltava o alinhavo final. E chegou o dia em que nós compramos uma garrafa de champanhe francês, desses de cinco mil contos a *flûte*, pegamos o champanhe, fomos para o apartamento deles como combinado, queimamos dois baseados, servimos o champanhe e, naturalmente, abrimos o jogo. Ah, para quê? A vergonha, em última análise, foi deles, tenho certeza de que acabaram se separando e se arrependendo, mas na hora a vergonha foi nossa, foi chatíssimo. Eles primeiro tomaram um susto, mas logo assumiram um ar afetadamente simpático e de maldisfarçada condescendência — ô hipocrisia, ô praga da humanidade, até quando? — e disseram que naturalmente continuariam nossos amigos de sempre, mas a cultura deles era diferente, compreendiam nosso equívoco, mas aquela não era a deles, não queriam que ficássemos magoados, compreendiam nossos padrões de conduta e nada tinham contra eles, mas não podiam adotá-los. Tanto Fernando quanto eu fomos elegantes, nem mencionamos, como podíamos ter feito, o ponto a que, separadamente, tínhamos chegado com os dois, agora quem não queria mais era a gente, eles perderam o interesse. Um horror, um horror, um horror. Foi tão chato que Fernando propôs logo que a gente se mudasse, para nunca mais dar de cara com eles, e eu topei.

E foi ótimo termos feito essa mudança, porque o bairro novo — cidade, aliás, Los Angeles são milhares de cidades, a gente atravessa a rua e paga impostos diferentes — era meio riponga, riponga chique, apesar de os hippies estarem só começando naquela época, e a gente se integrou como se tivesse nascido lá. Conhecemos logo o Mike e a Alice e fizemos o nariz com eles. Pó ainda era meio raro, mas eles tinham ótimos fornecedores. Até esse tempo, a gente só conhecia birita mesmo, maconha e assim mesmo mal, lança-perfume, perfume, Pervitin, Dexamil, mais uns outros dois ou três comprimidos, tudo meio coisa de pobre. Você veja, pó, essa desgraça que só serve para se experimentar algumas vezes, para não se ficar ignorante. Acho, sim, que a pessoa deve experimentar boa cocaína. Aí cheira um par de vezes, faz e diz as sandices delirantes e confessionais comuns a quem cheira e compreende que é uma merda e deixa de lado. Assim seria ótimo, porque o ser humano precisa compreender, a fim de selecioná-los para seu uso, os variados instrumentos para se entrar num barato e alterar a realidade percebida. Digo percebida para qualificar a realidade, porque a realidade, naturalmente, não existe em si, Lenine era grosso, e o bispo Berkeley era fino, e a física quântica mais fina ainda. Pergunte a um cientista nuclear o que é a realidade e ele vai gaguejar, se for honesto. Mas existe uma realidade percebida, e o ser humano não pode tolerá-la e aí altera a percepção. Desde que o homem é homem, ele procura isso por milhares de vias, as mais conhecidas sendo o álcool e as drogas em geral, naturais ou não. A música é isso, a música não é senão isso, o único intermediário é o ouvido, ela vai direto e afeta quem a ouve, nunca deixa de afetar, de uma maneira ou de outra. Então eu acho que se deve experimentar, é uma burrice não experimentar. Quem não usa nada, nem secretamente, é um perigoso louco que possivelmente mataria alguém. O problema é que muita gente tem dificuldade em ver que aquela droga cobra um tributo que não se pode pagar e não sai daquela em que eu entrei e, graças a Deus, saí sem precisar de um esforço extraordinário. Muita gente fica grudada naquela droga, e eu achava que ficaria, sou obrigada a confessar que tive deslumbramento cocainal. Quando fui apresentada e durante anos a seguir, pó me pareceu uma chave do universo e da felicidade, a droga da sabedoria, da verdade e da iluminação, o brilho! Estupidez, é exatamente o contrário.

Mike e Alice cheiravam todo dia e, se continuaram e ainda estão vivos, devem ter se transformado nuns cacos irreconhecíveis e imprestáveis. Eles também tinham grana, ele transava pó com uns milionários amigos deles, ganhava uma baba só com isso. Era uma completa insanidade. Havia ocasiões em que passávamos dias a fio cheirando e bebendo em volumes industriais, conversando sacanagem e entrando numas barras pesadinhas, como na madrugada em que os quatro resolvemos sair de carro pela Harbor Freeway nus da cintura para baixo, é um milagre que nunca tenhamos entrado em cana. A gente fazia tudo. Estava entrando na moda *wife swapping*, e nós entramos em vários grupos, uns sem pó, outros com pó. Tinha que haver uns sem pó, porque pó é broxante, o sujeito fica ligadão em sacanagem, mas geralmente o pau não sobe, só dá para tirar um sarro mesmo, ou então chupação e coisas assim, mas normalmente só sai papo alucinado mesmo. Eu tenho um amigo que cheirava muito e, quando ia sair com uma mulher, perguntava "com pó ou com pau?". Ela que escolhesse, porque, se havia pau, não podia haver pó e vice-versa. Ele me contou que uma vez conseguiu uma meia-bomba e usou uma calçadeira pequenininha, dessas que às vezes distribuem em avião e, apesar de ter havido alguma penetração, a experiência não agradou. E tinha grupos chatíssimos entre os *swappers*, religiosos, vegetarianos, esperantistas, o que você possa imaginar. Americano consegue ser chato e cagar regra até em suruba, são muito piores do que os alemães, que, quando botam qualquer coisa no juízo, ficam completamente despirocados e não respeitam regra nenhuma. Nos Estados Unidos há um manual e um curso para tudo e sem dúvida lá muito se trepa de acordo com os manuais. Mas isso não é geral e dá para se distrair com fartura. Nós frequentamos algum tempo esses grupos e, tudo somado, foi uma experiência divertida e valiosa.

 Mike também tinha um estúdio fotográfico em casa, equipamento de primeira, até com fundo infinito e diversas paisagens, o maior high-tech, e nós tirávamos fotos nus, não só nós quatro, mas muita gente mais, é assombroso como tem gente que sonha em tirar fotos nua, embora a maioria reprima, é uma pena e um desperdício. Botamos todo tipo de gente peladona naquele estúdio e em outros lugares que a gente descolava, era uma festa. Tiramos até fotos de uma freira, prima de Mike e portadora de uma cara de santarrona exemplar, mas que depois se revelou uma dessas freiras medievais de coleções fesceninas francesas de antigamente e adorava suruba, ou então transar comigo, transávamos praticamente todas as vezes em que nos víamos. E arrumou dois padres para a turma, um veado e outro homem de todas as armas, grande *Father* Pat Mulligan, que topava qualquer coisa e trocava com Fernando numa boa, eu não sei o que era mais lindo, se Fernando enrabando ele, ou ele enrabando Fernando, às vezes de quatro, muitas vezes de frente, que era a minha posição favorita para eles, o pau entra mais dramaticamente, eles se encaram, é muito bonito mesmo, uma das coisas mais sensuais e excitantes que eu conheço. Também era muito bonito eles se chupando de olhos fechados, pondo com volúpia o pau do outro na boca. Eu ficava fora de mim e quase nunca conseguia permanecer somente apreciando, como planejava antes, e participava de alguma forma.

Claro que nessa Sodoma e Gomorra do *wife swapping*, os padres — os padres, não, porque o Bill não se interessava por mulher — Pat e a freira tinham um certo problema porque não dispunham de cônjuges para apresentar, mas a gente apresentava um como cônjuge do outro, e Mike falsificava licenças de casamento, se fosse necessário — que loucura, duas pessoas casadas que vão trepar com outras exigindo papel passado, ou isso é loucura rematada ou é de um requinte por mim inatingível, embora possa imaginar um certo cenário, um filme de Buñuel, por exemplo. Deve haver filmes, relatos e ensaios sobre *wife swapping*, mas nada pode descrever aquilo, nenhum filme, nenhuma coleção de filmes e livros. Eu adorava quando podia ir como mulher de padre Pat, porque ele era excelente marido e companheiro e adorava perverter aquelas peruas cheirosas de cabelo armado e sapatos brilhosos da mesma cor que o vestido, o cachecol, os brincos e tudo mais. Ele ensinava as coisas mais escabrosas, fazendo as caras mais inacreditáveis, e eu ali, batalhando pelo Oscar de coadjuvante, aprendi muito com ele também. Ele era privilegiado. Os irlandeses, que eu saiba, não têm fama de desmarcados, mas o dele era muito grande e grosso e ficava duro como uma viga de madeira, apontando para cima e gozando com uma força e abundância, que, onde quer que ele gozasse em alguém, esse alguém sentia a inundação, eu amava isso. Às vezes ficava sentada com a boca junto ao pau dele, assistindo transportada a ele bater uma punheta para, na hora de gozar, dirigir o jato à minha boca aberta. Fizemos muito isso em ocasiões em que a pressa era amiga da perfeição e tiramos vários finos, fomos quase pilhados diversas vezes, mas isso dava graça. Ele fez milagres, vai ver que ser padre tinha alguma coisa a ver com isso, ou então o Diabo lhe dava uma colaboração extraordinária. Andy, mesmo. Andy era uma mulher que nós comíamos num desses clubes, descoberta por ele. Quer dizer, descobrir todo mundo tinha descoberto, porque ela era exibidíssima. Ele descobriu foi o talento dela, por trás daquela boçalidade empetecada e ao lado do marido meio broxa e barrigudão, sem charme nenhum, coitado, mas acho que preferia frequentar aquela turma, onde pelo menos estava nominalmente em igualdade de condições, do que tomar o corno solitário que fatalmente tomaria. No começo, eu achei que padre Pat estava maluco, querendo que a gente comesse aquela Jayne Mansfield de oitava categoria — a verdadeira Jayne Mansfield era fantástica, e eu quase como, verdade mesmo, mas isso é outra história, foi num coquetel em Beverly Hills, me lembre depois, mas ele tinha razão, Andy era uma gênia, um diamante bruto. Em dois meses, já sabia e gostava de tudo, deixou de achar que chupar pau era fazer caras e bocas e passar uma língua frenética na glande como uma cobra com problemas neurológicos, aprendeu a curtir tudo, comeu todos os homens, mulheres e sortidos disponíveis, ficou craque em todas as modalidades, virou absolutamente outra. E o casamento acabou, claro. Tracy, o marido dela, realmente não tinha jeito. Nossa freira, *Sister* Grace, *alias Mrs.* Saunders, *alias* Maureen, *alias* Dee, *alias* tanta coisa, acho que nesse clube ela era *Mrs.* Rivera, mulher de Fernando. Ela fez o impossível para trazer Tracy ao convívio da humanidade, mas nem ela seria capaz desse feito, nem eu. Nem Norma Lúcia. E cumpriu-se o carma de cada um, nós transando com Andy, e Tracy se dando por muito feliz em ser chupado com afinco e dentes por Rita Mae, a magrela de Iowa que ninguém queria comer. Eu queria ser pintora, prima de um Brueghel qualquer, um Bosch qualquer, para pintar aquelas noites. E dias. Saudades, por que não dizer, saudades.

Grande *Sister* Grace, grande *Father* Bill, grande *Father* Pat Mulligan! Fernando sempre disse que a maior fantasia dele se cumpriu no dia em que foi chupado por *Sister* Grace, com ela toda nua, menos pelo arranjo de cabeça de freira. E Grace era linda, tinha aquelas sardas de irlandesa, mas no ponto certo, os peitos curvados suavemente, os bicos rosados e arredondados, uma xoxota magnífica, com pentelhos arruivados e deixados à vontade, uma bunda clássica, a fronteira para as coxas traseiras bem traçadíssima, linda, linda, linda e safada, era como eu e Pat e raros outros e outras que encontramos na vida: estava sempre disposta, sempre a fim, em qualquer lugar, a qualquer hora, sinto falta de mais gente assim, acho que todo mundo seria assim, se ajudado. Fazia um escândalo quando gozava, tinha que ter música alta, para os vizinhos não pensarem que a gente estava matando alguém de vocabulário mais sujo do que Long John Silver. *Father* Bill era mais calmo, muito delicado, educadíssimo, falava não sei quantas línguas e era também muito bonito, só que alto, moreno, com uma covinha no queixo e absolutamente bandeira nenhuma de que era bicha, eu tomei um susto quando soube. Não era um veadão radical, só se recusava a comer ou chupar xoxota; aliás, nem tocar; aliás, nem ver. Tinha nojo, dizia que lembrava as ostras da cidadezinha de pescadores onde ele nasceu em Massachusetts, ou no Maine, sei lá. Ele tinha pavor dessas ostras, tinha até pesadelos com elas. Mas, tirando as ostras, o resto era com ele mesmo, principalmente chupar pau e peito com a avidez de um bacorinho. Mas o que ele preferia mesmo era ser enrabado por Fernando na frente de quem estivesse. Quanto mais gente, preferivelmente mulher, melhor para ele. Parecia um ator de filme pornô classe A, era uma vocação inata. Dirigia o espetáculo e fazia uma espécie de ensaio com Fernando, hoje você faz assim, hoje faz assado. E Fernando também tinha senso de espetáculo, eles dois eram um show, sem exageros, *understated* mas vigoroso, uma beleza mesmo, inspirou muita gente. Comi a bunda dele algumas vezes, mas ele me emprestava um nome masculino e quase sempre me pedia para usar uns dildos especiais, umas picas de borracha deste tamanho que se encaixavam direitinho no púbis da mulher e ela gozava de tanto se esfregar. Atualmente, qualquer revista de sacanagem traz anúncios de calcinhas, geralmente pretas e de um mau gosto atroz, todas com picas de diversos tamanhos, sempre achei detestável. Usei umas duas vezes, mas foi terrível, inclusive por eu ter de trepar usando calcinhas, não há a menor graça e me dá um certo nojinho do homem que curte isso, não sei bem por quê. De mulher também, pensando bem, a passiva e, principalmente, a ativa, não acredito que uma sapatona de respeito use habitualmente um negócio desses, é uma indignidade.

Já *Father* Pat, como eu disse, era perfeitíssimo, completo, nenhuma reclamação, pelo contrário. Irretocável, aquilo é que se pode verdadeiramente chamar de atirar com todas as armas mesmo, gostaria muito de estar com ele e Grace novamente, mas ele sempre promete que vem ao Brasil e nunca aparece. Foi ele quem confirmou muitas coisas de que a gente havia muito suspeitava e perdia tempo e ânimo com elas. Por exemplo, sessenta e nove é uma besteira, que tira a concentração e só vale a pena em casos especialíssimos. E a chamada penetração dupla, que hoje está muito na moda e eu vejo nas revistas pornográficas? Eu passo na banca e pergunto se tem revista de sacanagem nova, pergunto em tom de voz natural, não importa quem esteja presente. Interessante é que a maioria das pessoas finge que não ouve, é curioso, no começo eu esperava o contrário. E os jornaleiros já separam as revistas para mim, os jornaleiros são uma categoria muito esclarecida e de mente muito aberta, alguém devia escrever uma tese sobre esse interessante papel da imprensa. Em quase todas as revistas, há fotos de penetração dupla, dois sujeitos e uma infeliz toda maquilada, ela mais ou menos como um naco de carne no espeto, eles como as duas metades de um pão de cachorro--quente, isso não existe. Ou melhor, existe, porque nós mesmos experimentamos, mas não tem valor algum, a não ser para currículo. E outras contorções, que me destroncam a alma só de lembrar, principalmente quando se arma uma macarronada humana. Três, três é o número ideal para um grupo, quaisquer que sejam os sexos dos participantes, inclusive misturado. Eu gosto das três formas possíveis: uma mulher e duas mulheres, uma mulher, um homem e outra mulher, uma mulher e dois homens. Na minha experiência, mas enfatizo que só falo por mim, o menos satisfatório é mulher com duas mulheres, e o mais satisfatório — *surprise!* — é duas mulheres com um homem. O ideal é que todo mundo nesse grupo se transe, mas não é indispensável. O indispensável é que as duas mulheres se deem muito bem, em matéria de rivalidade sejam esportistas sinceras e gostem e tenham tesão no homem e, um belo dia, decidam transformá-lo em sultão e elas em odaliscas. E, muito preferivelmente, que todos sejam amigos, essa história de que não se pode misturar amizade com sexo é uma maluquice, é precisamente o contrário, meu Deus do céu. É porque as pessoas envolvem o sexo em tanta merda — mesquinharias, ciúmes, despeitos, inseguranças, disse me disse, suspeitas, afirmações de ego, tanta, tanta merda — que fazer sexo com amigos às vezes acaba prejudicando a amizade. Não se oferece merda aos amigos, atentar nisso, os amigos são muito importantes. Então, livrar-se da merda, para poder oferecer a ambrosia, que está aí para quem quiser deixar de ser babaca e ver. Se se prestar atenção e se assumir a postura correta, o certo é comer os amigos, é absolutamente óbvio, chega a ser ridículo ter que dizer isso e apresentar como tese a ser discutida, não há nada a ser discutido, é elementar, lógico, curial. Não todos os amigos, é claro, minha ideia não deve ser deturpada, embora eu ache legítimo que alguém empreenda como missão de vida comer todos os amigos e amigas que puder. Eu mesma, de certa forma, sou assim e conheço gente assim, mais gente do que seria de esperar à primeira vista. Comer alguém deve ser um gesto de amizade e que complementa e aprofunda, não estraga essa amizade. O que estraga é o lixo na cabeça, que não é inerente ao sexo, são os penduricalhos mortíferos que arranjam para ele. Experimente conversar sobre isso com amigos e coma eles, se eles se revelarem sensíveis a essa maneira de ver as coisas. Indecente é comer pessoas que não seriam nossas amigas. Isso só se admite em raríssimos casos, como, por exemplo, para satisfazer uma perversãozinha. Eu gosto, de vez em quando e com as pessoas certas, de dar uma de odalisca, toda mulher sabe de que estou falando, é gostoso. Fiz isso muito, é bom ser uma das duas mulheres que estão comendo um homem de cima a baixo e de todos os jeitos e sabendo que estão dando a ele um dia de rei, bastam elas para que ele se sinta um rei, maior que um rei. Há quem pense que não tem homem com resistência para isso, mas tem, sempre topava com um, a variação de parceiros faz muito bem ao macho, ele é programado para isso. Você sabe o que eu curti? Eu e uma amiga minha, por exemplo, curtimos intensissimamente uma noite que passamos com meu irmão Rodolfo e na qual, entre outras coisas, ficamos ambas de rabo para cima, para ele nos penetrar alternadamente. E Rodolfo era Rodolfo, fodeu as duas a noite inteira em todos os buracos e fez questão de não ser grosseiro e esporrou também nas duas. Já quatro pessoas é mais complicado. É possível, mas não é fácil, a não ser se for na base da troca vez por outra e outras variações. Todo mundo embolado não é bom. Ou então é disfarce, já vi isso acontecer. Por minha causa, uns dois ou três homens, que eu encorajei e elogiei na hora, praticaram vários atos a que antes se recusavam. Muitos resistiam a Fernando no começo, mas acabavam cedendo, até porque tanto ele como eu éramos muito hábeis nesse setor. Se o sujeito permitia que Fernando o chupasse e não ele a Fernando, tudo bem, desapontava um pouco as mulheres, mas Fernando queria chupá-lo de qualquer jeito, reciprocidade ou não, porque não tinha essas frescuras. E a gente aplaudia e mostrava admiração e tesão redobrada por Fernando e, embora não forçasse a barra ou recriminasse o refratário, deixava visível que ele era assim uma espécie de bobo. As mulheres sempre se revelaram ótimas nisso, a maior parte me ajudava muito a convencer os maridos e namorados a transar com outros homens na nossa presença ou com a nossa participação. Você pode pensar que não, mas as mulheres curtem isso, talvez muito mais do que a maioria suspeita, não me lembro de uma que tivesse experimentado e não tivesse gostado. Então, nas trepadas de quatro, há frequentemente disfarces, que, quando eu descobria, desmascarava logo e encorajava a que liberassem logo tudo, fossem homens na expressão da palavra, fossem os fodaços que nós sempre quisemos que eles fossem. E um fodaço cheio de limitações não pode ser um fodaço. Que um não curta certas coisas, tudo bem; um camarada pode gostar muito de comer outro e não querer dar para esse outro, assim como esse outro pode muito bem só querer dar, ou dezenas de vice-versas. Assim como pode não se sentir tesão por determinada pessoa, ou tipo de pessoa, pode-se até só ter tesão por um tipo de pessoa exclusivamente, embora isso já seja doidice. Mas que se seja absolutamente infenso a toda e qualquer coisa com o mesmo sexo, aí não, aí é limitação grave, não há um homem ou mulher completo, no caso. Todo homem que disser que nunca, na vida toda, sentiu nenhuma tesão por absolutamente nenhum outro homem, até um belo transexual ou um efebo, mas nenhum mesmo, ou está mentindo ou se enganando. O mesmo para as mulheres, que reconhecem esse fato com muito maior facilidade, talvez porque não tenham que ser machos como os homens e não vivam tão assustadas o tempo todo. Por isso e porque as mulheres são de especial ajuda aos homens hesitantes e inseguros — já que só os inseguros é que têm esse problema — é que eu nunca deixei os disfarces escaparem, no sexo grupal. Os disfarces começam já no sexo a três. Não importa o que digam, se dois homens estão transando ao mesmo tempo com a mesma mulher, existe um conteúdo de veadismo nisso, eles ficam olhando as rolas um do outro, curtindo coisas que o outro faz, volta e meia se encostam, se pegam e, sem falar nada, acabam entrando no samba um com o outro, sempre tem uma coisa dessas. O mesmo ocorre com duas mulheres e um homem, excetuando, como é de praxe nestas questões e eu observo sempre, casos graves de doença mental. Excetuando casos graves de doença mental, todas as mulheres gostam de mulher também, em graus variados ou até especializados, do mesmo jeito que todo homem gosta de homem, faz parte da constituição de nós todos, ninguém nasceu com papel sexual rígido, todo mundo é tudo em maior ou menor grau, o resto é medo de fantasmas ridículos e absurdos, que nunca se sustentaram nas suas pernocas de névoa. Já assisti a episódios e já ouvi confidências de homens que odiariam dar o rabo, mas curtiam fantasias endemoninhadas de enrabar jovens rapazes e muitas vezes faziam isso escondidos deles mesmos. Os travestis comem habitualmente homens sérios, os travestis têm histórias muito boas, eu simpatizo com os travestis em geral. Eles comem basicamente homens sérios. Os homens os pegam em seus carros e ficam de quatro para eles, é esse o grande negócio deles, não é dar aos homens sérios, como se pensa. E todos esses homens sérios são indistinguíveis dos que não fazem o que eles fazem, eles estão em toda parte, são nossos conhecidos, pais, maridos, chefes, comandantes etc., que se abrasam ocultamente, depois se aposentam e morrem de câncer. Precisava disso, precisava? Não, se certas verdades óbvias fossem admitidas de uma vez por todas. Atraso, atraso, vivemos segundo regras e padrões para os quais nenhum ser humano foi feito e, claro, ficamos malucos por isso. Não sei se já falei que encaro com piedade a mulher que diz sincera e proibitivamente "meu negócio é homem, minha filha" e, frequentemente, é irrecuperável para uma visão do mundo e uma vida sadias, até porque fortificada por trás de sua muralha de neuroses e crendices. Fico com pena. A bem dizer, fico com pena não só dessas mulheres como dos homens em condição análoga, fico com pena de todos esses exclusivos de araque. Preferências, sim; exclusividade, jamais. As mulheres gostam, sim, de mulheres e as que menos gostam pelo menos adoram ser vistas em ação pelas outras que as acompanham, preferivelmente mostrando que são mais gostosas. Já participei desse tipo de coisa, e muitos homens, como o próprio Fernando, me contaram que transaram com mulheres que, sozinhas com ele, ficavam lá, paradonas como uma almofada com buracos, mas, quando eu ou qualquer outra estava por perto, viravam demônios do leito, gritavam, gemiam, berravam o nome dele em altos brados e assim por diante. É o famoso ser humano. Mas não faz mal a ninguém, é talvez dos grandes atrativos de sexo a três, é legítimo, uma concorrência construtiva. Mas a verdade é que a grande maioria das fantasias como o sexo grupal, quando vivida, é um saco, com raras e episódicas exceções. Quando imaginada e até vista em fotos, a impressão é outra. Ser penetrada enquanto se chupa alguém de valor, todos amigos e amantes, tudo bem. Aliás, o melhor para tudo isso, volto a bater na tecla, são os amigos e parentes. Ou então o outro extremo, desconhecidos que não vão mais ser vistos. Quando se é amigo, acabam se tornando mais prováveis as combinações, geralmente espontâneas, que podem dar certo. Até sincronismo de orgasmo a três muitas vezes dá certo, mas gente de primeira qualidade para isso é difícil de ser encontrada, e a situação propícia é também difícil de armar. Atraso, atraso! E eu dei sorte, ainda dei muita sorte.

    Minha bolsa de estudos, todo esse tempo, foi de longe a melhor que eu poderia esperar. Saí formadíssima, pós-graduadíssima. Não nas matérias do currículo, evidente, porque eu ia ao campus somente quando havia necessidade, embora tenha pegado o maior diploma de mestrado. Lá é igual a aqui, basicamente, só que bastante mais elaborado e com uma hipocrisia intrincadamente coreografada, que chega a ser bonita de tão horripilante e bem estruturada. Lá a gente compra os papers, os trabalhos de casa que tem de apresentar, existem firmas que fazem isso, é a maior moleza, é só ter dinheiro para comprar, como quase tudo mais. Dar para os professores funcionava da mesma forma que aqui, dei até para um mórmon, que não fumava, não bebia nem café, não dizia palavrão, era um santo homem, mas, quando eu peguei no pau dele por cima das calças, se esporrou todo e só me deu nota A o curso inteiro. E assim diversos outros, era só dar e passar, procurem em outro lugar as diferenças de desenvolvimento entre o Brasil e os Estados Unidos. No feliz dizer de Marilyn Monroe, segundo eu li em alguma revista de fofoca, chupei muita pica, mas consegui muitos papéis. Não havia dificuldade, ainda mais com a aparência demolidora que eu tinha, eles tinham medo de mim e fascinação absoluta e, melhor ainda, não havia concorrência digna desse nome, eu estrangeira, casada, livre para qualquer horário, sem querer dinheiro de ninguém, gostosíssima, fazendo coisas que eles nunca sonharam, era até covardia, nenhum resistiu, absolutamente nenhum. Eu falava português durante as trepadas, eles caíam em transe. Com dois eu trepei a sério, mas com os outros eu ficava dizendo "Flamengo até morrer!", "o suflê já está pronto", "tu é ruim de cama pra caralho" e outras maluquices que me davam na cabeça, sempre ligeirinho para não arriscar que eles entendessem, era na Califórnia, e muitos sabiam umas palavrinhas em espanhol, como quando eu chamei dr. Scott de estúpido porque ele me penetrou por trás como um rinoceronte dando uma marrada, coitado dele, era casado com uma mulher terrível que eu e Fernando comemos e era corno vitalício, se bem que bom de nota para mim, *straight A's again*.

Tive apenas três problemas, dois pequenos e um grande, na volta para a Bahia. O primeiro probleminha foi titio Afonso, é claro, que chorou, me chamou de ingrata, perversa, irresponsável e mau-caráter, porque eu não quis dar. Ele estava todo crente, todo Leocádia, como se falava no meu tempo de colégio de freiras, e foi logo metendo a mão em mim, assim que me pegou sozinha. Aliás, nós marcamos. Eu marquei, melhor dizendo, quem marcou fui eu, sem dizer nada do que havia decidido e deixando que ele devaneasse à vontade. Marquei na mesma sala do sítio onde fizemos sacanagem pela primeira vez. Deus me perdoe, fiz como Hitler, que obrigou os franceses a assinarem a rendição no mesmo vagão de trem onde o Tratado de Versalhes foi assinado. Nos encontramos lá, ele veio todo pressuroso, todo metido a ótimo, mas eu tirei as mãos dele de cima de mim e disse que parasse, que as coisas já não eram as mesmas. Ele me perguntou se eu ia cumprir a promessa, fiquei calada, levantei a saia e, ainda sem dizer uma palavra, fiz com que ele compreendesse que eram só as coxas. Sei que é difícil crer, mas dei somente as coxas. Em pé, pedindo pressa porque achava que vinha gente, sem beijo na boca, sem nenhum extra, e ainda ri na cara dele, na hora em que as pernas dele bambearam e ele teve de se agarrar em meus ombros e ainda disse a ele — eu não valho nada mesmo, mas menos valia ele — que tinha baixado a calcinha somente porque não queria que ela ficasse toda lambuzada daquilo, exigi o lenço dele para me limpar, segurando-o nas pontas dos dedos e fazendo carinhas de nojo. E pronto, aquela era a última vez, ele que se desse por muitíssimo satisfeito por eu ainda ter feito aquilo como despedida, ele me fizera cair numa armadilha, prometer o que não poderia cumprir, se aproveitando da minha boa-fé e inexperiência, o inescrupuloso amoral que tinha iniciado a sobrinha inocente na sacanagem, o último e mais pérfido dos homens. E agora, para todos os efeitos, eu era uma senhora casada, ele queria que eu contasse tudo a Fernando ou a alguém mais da família? À tia Regina, talvez? Se tia Regina concordasse com o cumprimento da promessa, podia ser que eu revisse minha posição. Devolvi o lenço ainda nas pontas dos dedos e desviando o rosto e nunca mais deixei que ele chegasse nem perto de mim.

O segundo problemazinho foi que eu tinha de ensinar na universidade por conta da bolsa, que tinha uns requisitos desse tipo, embora tivesse sido quase toda paga pelo tio Afonso, Deus o tenha, pensando bem, eu também botei pra quebrar em cima dele, aquilo não se faz. Apareceu para dar aulas o Dalai Lama? Assim apareci eu. Ainda tentaram me chantagear para eu aceitar aquele emprego escravizante de merda, mas eu não quis nem saber, até hoje deve haver algum inquérito ou processo contra mim, mas eu nunca dei a menor importância. Mas, enfim, como eu disse, foi uma grande bolsa, apesar de eu detestar Los Angeles e a Califórnia de modo geral, com exceção de São Francisco. E veio o terceiro problema, desta vez bem mais grave. Nem Fernando nem eu conseguíamos aguentar a Bahia depois de 64, e todo mundo se mandou, e nós ficamos praticamente sem amigo nenhum, principalmente os que nós queríamos converter à nossa maneira de viver. Eu sempre dei para comunistas e esquerdistas variados por uma questão que eu considerava cívica. Comunista é ruim de cama que ninguém sabe, talvez seja a maior incidência de broxura definhada que eu encontrei. Nunca tive tesão em Lênin, só tenho por Fidel Castro. Mas os esquerdinhas tinham todos desaparecido, entre boatos de que enfiaram uma granada na boca de um, outro era guerrilheiro no Camboja e outra tinha dedado todo mundo e agora era comborça de um major torturador, todo dia aparecia uma história. E todo mundo que ficou parecia sem graça, chato e atrasado — e, para quem está cheirando pó, todo mundo que não cheira é chato e atrasado —, e Fernando tinha que viajar para o Rio para conseguir pó, e tudo era realmente muito, muito chato, e aí nós resolvemos vir para o Rio de Janeiro. Chegamos a passar ainda uns três ou quatro anos na Bahia, mas pegamos ojeriza mesmo, até porque nos parecia que lá estavam concentrados os filhos das putas que se aproveitaram da Redentora para encher o cu de dinheiro, a começar por aqueles fundos de não sei o quê, da família militar, não sei o quê, que realmente encheram o rabo de dinheiro e agora sumiram com o dinheiro de todo mundo que foi na deles e ninguém mais fala neles. Um bando de escrotaços, e não começo nem pelos milicos, começo pelos débeis mentais que doaram até as alianças de casamento, e não duvido que os mais babacas tenham dado seus blocos dentais de ouro para a campanha "ouro pelo Brasil", ouro sinistro, que lembrava o que os nazistas roubaram dos judeus e que nunca mais ninguém viu e até hoje deve estar fazendo a felicidade dos promotores da campanha, bons filhos das putas, para não falar no festival de dedurismo da época e em muitas outras coisas sobre as quais a gente age como se nunca tivessem acontecido. Mas eu não, se bem que reconheça que, no fundo, é uma atitude besta.

    Resolvemos nos mudar para o Rio entre altas expectativas. Eu, que nunca tinha evitado filhos com a seriedade apropriada, mas tinha medo de pegar um sem querer e, pior ainda, sem ter saco para crianças, ainda mais podendo não ter certeza sobre quem era o pai, fui a não sei quantos ginecologistas, e todos inventaram um problema diferente em meu sistema reprodutivo. Problema era claro que eu tinha, porque obrigaram Fernando a fazer exames, e os exames sempre demonstraram que ele tinha fertilidade suficiente para emprenhar todas as chinesas com meia dúzia de esguichadinhas. Foi até interessante que ele fizesse esses exames, porque eu decidi ir com ele e me trancava com ele naquelas salinhas sórdidas, uma coberta de folhinhas de posto de gasolina e todas sórdidas, sórdidas, eu dizia, com a maior cara de pau, que ia ajudar na coleta de material. Era ótimo sair da salinha e ver as caras das pessoas, algumas fazendo força para disfarçar e outras abertamente escandalizadas. Uma vez, levamos uma putinha contratada especialmente, dizendo que ela era secretária de Fernando, e o médico, dr. Clóvis, não me esqueço dele, um baixote meio sebentinho, que fumava um toco de charuto mordido e babado, tentou fazer um discurso contra, mas Fernando e eu reagimos e entramos os três na salinha de punheta, foi fantástico, aposto que o dr. Clóvis deve ter ficado traumatizado pelo resto da vida. Meu palpite era que eu era estéril mesmo, não importando por que razão, mas, como confio em médicos tanto quanto em economistas, resolvi ligar minhas trompas e me livrar dessa preocupação para sempre.

Rio de Janeiro, trompas ligadas, problemas nenhuns, liberdade, liberdade. Mas no começo foi uma merda e pensamos até em morar em outro lugar, chegamos a viajar, pensamos em Paris, pensamos na Provença, pensamos numa ilha do Mediterrâneo, mas acabamos ficando no Rio e tudo foi se acertando aos poucos. Eu não concebo outro lugar para morar que não o Rio, apesar de tudo o que fazem para acabar com ele, notadamente os cariocas mesmos. Mas só é possível morar, morar mesmo, no Rio. Você veja, eu adoro São Paulo, acham até estranho, mas é verdade, adoro. As paulistas são fogosas, os paulistas são bons amigos e, quando fodem bem, fodem muito bem, basta você desenvolver o paladar. E o interior de São Paulo também tem muita coisa ótima, é surpreendente. Mas eu só quero morar no Rio, nem pensar em sair daqui. E olhe que eu sou baiana e, como todo baiano, criada com preconceito contra carioca. Baiano tem preconceito contra todo mundo, aliás, quem quiser que pense que entra mesmo em casa de baiano, porque não entra. Tem aquele oba-oba todo, meu irmãozinho, meu amor, meu idolatrado, meu rei, tudo o que é meu é seu, minha mulher é sua, meu marido é seu, minha bunda é sua, mas quem quiser que pense que entra, porque não entra, só um ou outro, salvando-se uma alma no purgatório. Baiano acha não baianos seres incompreensíveis, perigosos e conspiratoriais. Observe: fora do território deles, eles podem se detestar, mas vivem se elogiando. Pergunte a qualquer baiano o que ele acha de outro baiano, que na verdade ele considera a caca das cacas, e ele dirá que é o maior do mundo. Eles ficam malocados, mas, se outro baiano precisar, eles saem das tocas, são uma espécie muito peculiar, quem quer que tenha medo deles tem razão. Até eu, que tenho esta postura crítica, sou vítima disso. Fui criada para odiar o Bahia e odeio o Bahia, mas, quando ele está jogando fora de lá, eu torço por ele, é ridículo. Mas é sério. Por isso que, para muitos paulistas, a *Endlösung* é acabar com a baianada toda. Eu acho uma sacanagem, mas compreendo. Eles podem espernear, mas não conseguem aceitar a existência da baianidade, ela tem de ser exterminada.

Alguns baianos apareceram no Rio, nessa ocasião. E alguns destes somente nessa ocasião, nunca mais vimos. Pareciam uns missionários e hoje compreendo que era a baianada em ação, acho que é uma coisa meio inconsciente, que já está programada neles de nascença. Eles foram nos ajeitando e daí a pouco estávamos integrados, completamente cariocas — o Rio adota todo mundo, não faz perguntas, se bem que tampouco paparique, mas isto já é outra conversa. Logo já tinha pó de dar de pau no Rio, já tínhamos as conexões certas, nada de subir no morro e lidar com malandros que não podem ser recebidos em casa. Minto. Uns quatro ou cinco chegaram a entrar, e me lembro de um que apresentou de graça diversas vezes, adorava Fernando, achava que se tratava de um intelectual finíssimo e eu também era uma intelectual finíssima e uma grande dama. Esse era um fenômeno, parecia um aspirador de pó pesado, desses que você vê limpando as ruas em Paris. Batia o pó com as costas de um pentinho de plástico e cheirava fileiras do tamanho de um salame. Ele tinha obsessão por uma mulher do seu passado chamada Madalena e de vez em quando escrevia o nome dela com pó, em letras enormes, numa capa de elepê, e cheirava Madalena toda numa cafungada só, tinha que ver para acreditar. O problema era que, quando ele aparecia, tanto Fernando como eu, depois de umas duas cheiradas, estávamos mortos de tesão e de vontade de falar sacanagem e de telefonar para chamar mais gente, mas isso era impossível com ele ali, seu bigodinho pintado, suas pernas esqueléticas e sua barriga maior que um zepelim, um verdadeiro maxixe espetado em dois palitos. Eu mesma, que, quando cheirava, já fiquei excitada vendo a foto de uma mulher muito bonita chupando o pau de um cavalo e já pensei muito em dar para um jegue — cheguei mesmo —, nunca consegui nem pensar em transar com ele. Quer dizer, pensar até pensei, mas não podia ir adiante, por mais que recorresse a meus argumentos pansexuais de costume. Acho que já contei que, quando menina, veraneando na ilha, vi muitos jegues trepando, e só uma pessoa de sangue de barata não fica excitada, quando vê o jegue subir com aquele vergalho imenso em riste, montar na jega, morder a nuca dela, ele fechando os olhos e ela mexendo o queixo, dando uns coicezinhos nele e babando, é lindo. Claro que nunca esperei aguentar um jegue todo em mim, mas pelo menos um pouco, e fiz um desenho de memória da cilha que eu tinha visto com Fernando em São Francisco, num show pornô de um nightclub de quinta categoria. O número principal, pelo menos do meu ponto de vista, era uma mulher encilhada por baixo de um cavalo, e o cavalo metia nela. Não tudo, é óbvio, mas um pedaço impressionante. Fiquei excitadíssima, até com vontade de subir no palco e tomar o lugar dela. E Norma Lúcia me ensinou a curtir transas com cavalos, era muito bom pegar um cavalo manso daqueles e ficar de mente perdida no descampado, acariciando os colhões dele e lhe alisando o pau. Era, não; é. É muito bom e carrega logo o corpo de todos os hormônios mais safados. Mas vamos deixar de lado jegues e cavalos, nunca consegui de fato praticar minhas poucas fantasias de bestialidade, sou fraca em bestialidade, nasci maldotada e não desenvolvi nada. Cachorro, que é o mais comum, é que nunca me atraiu. Limitação minha, com certeza. Outro dia, numa dessas salas de bate-papo de sacanagem na internet que eu frequento, um rapaz estava procurando um cachorro grande e manso, que pudesse enrabá-lo. Permitia que os donos assistissem e até fotografassem. E dizia que nada superava ser enrabado por um cachorro. O pau do cachorro parece fino, disse o rapaz, mas aumenta muito de volume quando penetra e tem um magnífico nó no meio. Além disso, o cachorro prolonga sua penetração por até meia hora, ejaculando abundantemente a intervalos. O rapaz está pensando num fila. Quando vi o anúncio, fiquei com vontade de ter um cachorro e assistir a isso. Mas não fiz nada e o anúncio pode até ser mentira, embora eu creia que é verdade; nós, o homem, fazemos tudo. Mas nunca consegui nem pensar direito em fazer qualquer coisa de sexual com esse sujeito do pente no pó, lamento mesmo dizer que não havia a mais remota condição. Além disso, um dos problemas com pó é que a gente fica se dando e afetando amizade por uma porção de gente para quem nem olharia, se não fosse pelo fato de eles oferecerem ou repartirem o uso da droga deles. E daí fomos nos desligando gradualmente desse tipo de gente e ficamos só com os nossos fornecedores de classe fina, digamos assim, e acabamos entrando num regime de loucura total, de que não tenho o mínimo de arrependimento — só gostaria de fazer algumas revisões —, só tenho arrependimento do que não fiz, como se diz muito e é verdade, a gente só se arrepende do que não fez. E aí mergulhamos de cabeça no pó e na sacanagem.

De repente nos vimos metidos numa roda-viva alucinante, que nem sei reconstituir direito, nem quero, nem vou tentar. O que eu sei é o seguinte: pensemos em desvarios. Mas desvarios mesmo, houve muito pouca coisa que eu não experimentasse, no terreno que arbitrariamente defini como normal para mim. Desisti de querer justificar minhas escolhas, trabalhei os pontos nos quais notei uma centelha inicial, além disso a vida é curta. Necrofilia, coprofilia, muitas outras filias, não, definitivamente. Tudo bem para quem gosta, nada de repressão, a não ser à mutilação e à morte. Mas eu não. Tirando isso, fomos bastante fundo. Pó, contudo, tem aquele defeito, entre muitos, a que já me referi: liga a cabeça, mas desliga os órgãos genitais. Fernando mesmo, que eu saiba, nunca conseguiu transar com pó. Mulher não tem esse problema de precisar de ficar fisicamente tesa, mas, assim mesmo, prejudica, pelo menos no meu caso e no de diversas amigas minhas. Mas isso não impedia que, menos de um minuto depois que a gente cheirava a primeira carreirinha, a gente se obsedasse tanto por sexo que só falávamos putaria até o dia amanhecer.

E praticávamos. Chega a ser tedioso recordar certas coisas. E também não quero ficar repisando aqui o que todo mundo já conhece. Mas, por outro lado, preciso repisar. Henry James — eu já gostei muito de Henry James, hoje não gosto mais tanto assim, mas me dá uma saudade imprecisa de tardes longas e meio nubladas, entre árvores tristonhas, não sei bem por quê, ou, por outra sei, mas estou com preguiça de falar, é por causa de Washington Square, eu sempre fico triste quando passo por lá no inverno —, Henry James escreveu não sei onde que ler um romance é olhar pelo buraco da fechadura. Este depoimento não é um romance, nem enredo tem — se bem que os do próprio Henry James também mal tivessem, pensando bem —, mas é olhar pelo buraco da fechadura. Claro, minha vida não foi comum, mas eu basicamente sou igual a qualquer uma, nem pior, nem melhor.

Sempre tive dinheiro e fui inteligente, o que certamente facilita as coisas. Mas sou igual a qualquer uma. E as pessoas leem romances, biografias, confissões e memórias porque querem saber se as outras pessoas são como elas. Não somente por isso, mas muito por isso. Querem saber se aquilo de vergonhoso que sentem é também sentido por outros, querem olhar mesmo pelo buraco da fechadura e, quanto mais olham, mais precisam olhar, nunca estarão saciadas. Faz bem, é reconfortante. Porque eu tenho a convicção de que a maior parte das mulheres e homens é como eu e pensa que não, cada um pensa que é único em suas maluquices. Não é, não, somos todos iguais. Vai ter muita gente que vai ler isso e vai discordar e de novo estou com preguiça de argumentar. Largue este texto, então, não perca seu tempo. Não largou? Não largou, claro, chegou até aqui. Não é para largar. A intenção do buraco da fechadura é a primeira. A segunda é provocar tesão, quero que quem me ler fique com vontade de fazer sacanagem, pelo menos se masturbando. Se alguém lesse isto no avião e, por causa disso, entrasse numa sessão de sacanagem com o companheiro ao lado, seria uma realização, um *accomplishment*. Penso principalmente nas mulheres, gostaria que as mulheres, ao tempo que se tornassem mais ousadas, se tornassem também mais abertas, mais compreensivas, deixassem de ser tão mulheres, por assim dizer. E gostaria de um mundo de sacanagem sem problemas, é dificílimo, mas não é impossível em certos casos. Quero que as mulheres fiquem excitadas, se identifiquem comigo, queiram me comer e comer todo mundo que nunca se permitiram saber que queriam comer, quero criar um clima de luxúria e sofreguidão. De noite, sozinha, isso acontece. Às vezes por causa de um drinque, um baseado, uma música, uma foto, uma coisa qualquer que altere ou provoque a consciência. Às vezes, aparentemente por nada. Mas todas as mulheres — todos os homens, mas agora quero falar de mulheres — já sentiram e sentem um momento em que são puramente sexo e pulsam sexo por todos os lados e ficam com medo de si mesmas e se descontrolam e compreendem tudo sobre sexo e querem tudo, é uma sensação avassaladora de absoluta sexualidade, um momento em que a sacanagem toma conta de tudo, e ela se sente fêmea, devassa, puta, ela faria tudo, tudo, ela quer foder, ela quer fazer tudo! Toda mulher que não dá a bunda sente vontade de também dar a bunda nessas horas, toda mulher que nunca deixou gozarem em sua boca sente vontade de chupar um pau até que ele esguiche forte em sua boca, toda mulher assim limitada sai desses limites nessas horas, finge que não tem problemas. Todas iguais. Eu quero excitar essas, quero provocar muitas trepadas, quero que maridos, namorados e pais assustados as proíbam de ler, quero que haja gente com vergonha de ler em público ou mesmo pedir na livraria, ah, como seria bom acompanhar tudo isso. E não estou fazendo nada de mais, a não ser contar a verdade. É de fato inacreditável, se você for ver bem, que contar a verdade seja escandaloso, quase subversivo, o atraso, o atraso. Se todo mundo contasse, este depoimento seria apenas mais um entre milhões. Mas, como não conta, eu conto, e ainda tenho muito mais coisa para contar, nunca vou conseguir contar tudo. E, finalmente, a terceira intenção é bem mais um desejo. É o desejo de estar com mulheres que tenham lido este texto, para ver as caras delas e ouvir os comentários para consumo externo e para o marido que se julga liberalíssimo, mas despencaria do Everest se soubesse dez por cento do que vai na cabeça dela. Parece que eu estou vendo: Gostei, sim, mas é claro que discordo de muita coisa, ela é muito radical para mim, eu não chego àquele ponto nem na teoria, quanto mais na prática. Canalhas. Claro que chegam, se já não chegaram. Mas têm que se defender, é natural. É a tal coisa, tem uma comunidade cheia de veados e nenhum homem que coma os veados. Existe? Claro que não existe. É a mesma coisa, *modus in rebus*. Eu serei a única? Pelo contrário, eu sou mais é a regra, a norma, embora poucas tenham tido as oportunidades que eu tive e, por isso, não foram longe. E com quem é que eu fiz tudo o que eu fiz? Com algum marciano, por acaso? Quem está fazendo tudo agora? Sim, quero mexer com essas mulheres também, quero mexer com todo mundo.

É muito difícil fazer um resumo dessa época de ouro do pó, mas foi uma grande lição de vida. Ensinou muitas coisas, das quais agora vou dizer a primeira, sem ordem de importância. Ensinou que é muito difícil encontrar alguém que não tenha alguma grande obsessão sexual, ou mais comumente várias, geralmente reprimidas das formas mais inesperadas. Que mais? É muito difícil encontrar alguém que não se possa seduzir. Querendo-se pagar o preço, que pode ser até uma existência, é possível seduzir toda e qualquer pessoa. Que mais? Todo homem é veado, em maior ou menor grau, e toda mulher é lésbica, em maior ou menor grau. Ninguém é alguma coisa de forma absoluta, não há hipótese. *Case histories* uma atrás da outra, devo ter uma das maiores coleções do mundo, somente contando com meu tempo com Fernando e com Antônia.

Primeiro caso que me vem: Marina, a comissária de bordo. Prefiro muito dizer "aeromoça", mas parece que agora elas se ofendem quando são chamadas de aeromoças, deve ser porque a cada dia ficam mais aerovelhas. Hoje em dia tudo ofende e, como nós vivemos macaqueando os americanos, também ficamos politicamente corretos, e um babaca aí agora está querendo uma lei proibindo piadas que possam ofender qualquer grupo, de qualquer tipo. Imagino o surgimento de um grupo antipiadas — a Igreja Universal da Assembleia dos Homens Sérios — registrado e, portanto, a proibição de contar qualquer piada, sob o risco de ofendê-lo. Haverá piadas clandestinas, contrabandistas de piadas, transeiros de piadas, fornecedores de piadas de árabe e judeu e presos inafiançáveis pelo delito de contar piadas. Puta que o pariu, só falando assim, atraso, atraso. A aeromoça nos conheceu numa birosca de praia, quando estava passando férias numa pousada em Porto Seguro, que não era moda como agora. Ela tomou umas batidinhas e acabou confessando que já estava ficando meio dura, e aí Fernando e eu, já pensando em dar um bote, porque ela era um deslumbramento, olhos verdões, peitos e coxas na medida certa, uma voz grave enlouquecedora, enfim, ótima, ótima, uma verdadeira estátua grega de biquíni, oferecemos lugar para ela, casa, comida, roupa lavada e ajuda no que ela precisasse, no sitiozinho que tínhamos alugado para a temporada. No começo, ela fingiu não querer, mas depois quis. E também fingiu que não gostava de pó, mas depois sentou a venta, como dizia o nosso amigo que cheirava Madalena. Na primeira noite em que cheiramos juntos, ela estava de shortinho meio frouxo e blusa por cima dos inenarráveis peitos, com os bicos que pareciam dois telescopiozinhos empinados para o céu, e eu fiquei ensandecida de tesão, passei o tempo todo alisando ela durante as conversas e, quando finalmente resolvemos ir dormir, eu entrei no quarto dela e deitei junto dela e encostei na bunda dela, e ela veio com aquela conversa de que o negócio dela era homem. Mas isso com um sorriso sem-vergonha, que nem de longe me convenceu. Aliás, mulher que vive repetindo que o negócio dela é homem, o negócio dela é homem, está num caso análogo ao que minha avó denunciava — a mulher que não se refere ao marido pelo nome, mas vive falando "meu marido", "meu marido". No primeiro caso, dedução minha, o negócio não é só homem e, no segundo caso, dedução de minha avó, o marido é corno. Ainda conversei um pouco e apertei os peitos dela, que tirou minhas mãos, mas daquele jeito safado de quem não quer que a gente tire realmente. Perguntei se, nesse caso, ela estava interessada em Fernando, mas ela disse que não, desta vez com firmeza, que ela pode não ter tencionado mostrar, mas eu notei logo. Está certo, tudo bem, vá dormir, durma bem. E, por uma questão de estratégia — coisas sutis para as quais a gente tem talento natural e aperfeiçoa com a vida —, deixei ela sozinha no quarto e fui continuar a conversar sacanagem com Fernando, até o dia começar a amanhecer. Não gosto de ver o dia amanhecer completamente, deve ser algum lixo católico que eu carrego, me dá desconforto, culpa. Já desisti de combater isso há muito tempo, sempre vou para a cama antes que o dia amanheça, é mais cômodo do que dedicar a vida a tentar vencer uma neurose de merda. Como de hábito, não dormi durante muito tempo, apesar das bolinhas, e fiquei pensando nela. Eu tinha certeza de que ela queria que eu insistisse, mas não insisti; posso ser boba, mas nem tanto. Não sou boba, aliás. E assim se passou essa noite e a seguinte, até que, na terceira noite, depois que ela alegou sono e cansaço e foi para a cama sozinha novamente, eu passei de propósito pela porta do quarto dela, que estava quase completamente aberta e a luz do abajur lá dentro acesa. Ela não estava mais de shortinho e blusa, não estava vestindo nada, estava completamente nua, de bruços, pernas em ângulo, pose clássica, aquela bunda inefável, aquela pele coberta de lanugem dourada, e eu, é claro, não hesitei. Não podia haver a mínima dúvida de que ela estava ali me esperando para transar, por mais que pudesse dizer o contrário. Eu não ia deixar essa oportunidade passar levada por prudência babaca, já bastam as de que me arrependo por não ter caído em cima, hoje vejo como as barreiras eram bestas ou até fictícias. Nem parei para pensar. Fiquei também nua na porta do quarto, deixando as roupas caírem na entrada, e me insinuei por cima dela, que agiu como se estivesse acordando naquele momento, péssima atriz. Deitada em cima das costas dela, encaixada em uma das bochechas da bunda dela, já começando a me esfregar, pedi que virasse o rosto para trás para que eu a beijasse na boca, e ela virou. Pronto, uma química jamais declarada baixou em Porto Seguro, meu Deus! Tudo funcionou como se tivéssemos nascido já fazendo tudo aquilo uma com a outra, até os gemidinhos dela compassavam com meus gemidões, nada deu errado, nenhum movimento se frustrou, ai, como foi bom, esta vida é muito injusta, quando nos traz essas lembranças. Penso nela como ela era então, não penso nela como deve estar hoje, me masturbo evocando aqueles dias com ela. Sem o momento, não existiriam nem a antecipação nem a lembrança, mas como os dois são melhores que o momento! Quando, depois de já termos gozado quase instantaneamente, eu na bunda dela e ela com meus dedos, vi o que minha mão já tinha adivinhado: ela tinha um tufo de pentelhos que só posso chamar de suntuoso, a visão mais hospedeira que já tive, adoro mulheres fartamente pentelhudas, não sou chegada às aparadinhas e raspadinhas, que são muito comuns no Nordeste. E nos Estados Unidos também, é engraçado. E também não aprecio esses pentelhos que ficam como uma crista, raspados certeiramente junto às virilhas, parecendo a cabeça de um índio seminole ou o topo do capacete de um centurião romano de cinema. Está certo, é para usar o biquíni, mas não é necessária aquela precisão, podia ser uma coisa menos definida, mais dégradée, menos brutal. Ou então deixar os pentelhos saírem pelos lados do biquíni, ou até por cima, é bem mais sofisticado, embora requeira classe. Ela era perfeita nesse sentido, aquele monte de Vênus amplo e generoso, aqueles pelos lãzudos e macios. Refocilei a cara nesse tapete que até agora sinto em meu rosto e vivemos horas de abraços, esfregadas e gozo, um atrás do outro, como só as boas mulheres sabemos fazer. Aliás, entramos num delírio tal que Fernando, sozinho, sozinho, abrindo ao acaso revistas pornográficas para tentar adivinhar se ele ainda ia comer Beltrana ou Sicrano e enchendo a cara, apareceu no quarto e também ficou nu e, apesar de broxado, não envergonhou. Nos transformamos num novelo e, no fim, Fernando entrou em rebordosa e ficou numa paudurisia inaudita, comeu nós duas e gozou na boca dela. Isso se repetiu até as férias dela acabarem e, no fim, ela nos disse misteriosamente que era casada e, por mais que tentássemos, nunca mais a vimos, mas eu não a esqueço como a mulher que eu mais gostaria de ter tido sempre ao pé, para a gente se comer.

Como ela me chupava! Mulher sempre chupa xoxota muito melhor do que homem, que geralmente acha que sua língua é uma espécie de pênis desarvorado e que pode sugar um clitóris ignorando os próprios dentes cheios de arestas, como quem está tomando refrigerante de canudinho, com raiva do conteúdo. E ela me chupava com classe e um toque, não sei bem como dizer, um toque de devoção. Respirava fundo, se aconchegava entre minhas coxas, me segurava delicadamente na bunda, respirava fundo outra vez, me cobria de beijos nas virilhas, fechava os olhos e me levava ao céu, ao céu! Não posso nunca me esquecer do dia em que ela começou a me chupar no sofá, e eu resolvi que naquela hora preferia a cama e, não sei como, ela conseguiu me seguir até a cama sem tirar a boca de mim com os olhos fechados e eu gozei torrencialmente logo em seguida. Não sei se posso dizer, porque não vejo razão para rejeitar o rótulo de libertina pervertida e devassa, se já tive paixonite a sério por alguém, mas, se já tive, foi por ela. Uma vez, Fernando fora de casa, comendo uma carioca grã-fina que havia aparecido com um marido altamente babaca e nós duas em casa, eu deitada num tapete, e ela, usando um roupão felpudo de Fernando sem nada por baixo, fez que ia passar por cima de minha cabeça e parou bem acima de minha cara com as pernas levemente abertas e aquele bocetão irresistível, na penumbra em torno de meus olhos. Toquei nos quadris dela, e ela, como se tivéssemos combinado antes, sentou na minha cara, que sensação insubstituível e incomparável! Como era aveludada, como era acolhedora, como tinha os cheiros certos! Como era submissa da maneira mais encantadora, pronta para fazer tudo o que eu quisesse, do jeito que eu quisesse, na hora em que eu quisesse, tudo com uma naturalidade que parecia que a vida sempre tinha sido assim, desde que o mundo era mundo. Não sei, não sei mesmo como descrever o que havia entre mim e ela, até o jeito como ela se livrou do roupão nessa hora é inimitável. Ela me chamou de meu amor, meu amor, minha tesão, minha dona, minha ídola, meu tudo, minha vida e, ai como eu a chupei, como chupei tudo dela, até que ela, falando as coisas mais sublimes que podem ser ouvidas, gozou como uma loba divina uivando, gozou mais, suspirou com aqueles olhões que davam vontade de mergulhar e pediu que roçássemos entrelaçadas até morrermos, e naturalmente que morremos um pouco. E depois continuamos a nos roçar e eu pedi que ela me desse a língua toda para eu enfiar na minha boca e, enquanto isso, que girasse a bunda para eu alisá-la, e ela passou a me chupar novamente, eu já sem fôlego e sem vontade de ser mais coisa nenhuma neste mundo, a não ser nós duas, diluídas no meio do universo e trocando nossos corpos. Quando falo nisso, fico um pouco — um pouco, não, muito — excitada e me arrependo por não tê-la perseguido o resto da vida. É claro que o negócio dela não era homem, era eu mesma. Podia não ser só eu mesma, mas eu fazia parte importante do negócio dela. Os outros participantes certamente houve ou há, mas não podem ter sido melhores com ela na cama do que eu.

Fernando, naturalmente, acabou se integrando. Ela era talentosa e claro que gostava de homem também, como acontece com todas as pessoas talentosas e cheias de vida. Vida, para mim, sabe o que é? Interessante, acabo de fazer uma espécie de redução epistemológica, não vou dizer nenhuma novidade, mas posso garantir que cheguei a essa redução depois de seguir um caminho que leva ao convencimento de que se trata de verdade transparente, um caminho que não posso dividir, mas que qualquer um, se quiser, pode trilhar também. A redução é a seguinte, sabe o que é a vida? É foder. A vida é foder. Note bem: esta, partindo de mim, é, como eu já sugeri, uma afirmação refinadíssima, não tem nada a ver com enunciados idênticos, mas simplesmente grossos ou instintivos. O meu enunciado é fruto de muita vivência e processamento dessa vivência. A vida é foder, em última análise. É uma pena que a maioria nunca chegue nem de longe à plenitude que esta constatação oferece, uma grande pena mesmo. Ela também tinha compreendido isso e comigo abriu o resto do horizonte que precisava ter. Fernando entrou e demos muito certo, os três. Gostávamos de sair para passear à noite e fazer sacanagem na rua, sabendo que estavam nos espreitando. A gente bebia numa pracinha ao ar livre e depois nos levantávamos e íamos os três para o escuro, se agarrar. Voltávamos com a cara mais inocente do mundo, sabendo que todo mundo sabia e que alguns tinham espiado e mesmo tocado uma punheta vendo a gente se beijar, se chupar e fazer outras coisas boas para o ar livre. E, mais ainda, ela inventou um roteiro doméstico que Fernando adorou. Ela ficava com uma carinha de puta inocente inacreditável e dizia que queria dar para ele gemendo entre ofegos quase lacrimosos e explicando que estava precisando que ele a cobrisse, a protegesse, penetrasse bem fundo nela e esporrasse muito nela, por favor, por favor. Uma diaba. Quando Fernando acabava, agradecia a ele, só vendo o jeito dela. E fez Fernando ainda mais feliz, porque comeu o casal que tomava conta do sítio e abriu caminho para Fernando, que estava doido pelos dois, realmente um casal de mulatos muito bonito, um raceamento perfeito. Fernando ficou doido pelo pau do rapaz, que de fato era excepcional, mais comprido do que grosso e muito teso, lustroso e parecendo envernizado. E pela bunda também, que eu achava ainda mais bonita e comi algumas vezes. Fernando ficava indócil, não sabia se chupava ele, se o comia ou se lhe dava a bunda, começava uma coisa, emendava pela outra, era um frenesi. Eu devia contar isto em pormenores esmiuçados, pelo prazer de excitar as pessoas e induzi-las à sacanagem, é um exercício de poder agradável e meu propósito desde que eu comecei isto. Sim, não passávamos dia sem que fizéssemos muitas, muitas sacanagens, todo tipo de coisa com esse rapaz e a mulher dele, ele chupando Fernando todo para depois enrabá-lo com aquele cacete comprido que entrava todo, e Fernando chegou a sentar em cima dele, tanta coisa... Mas não vou contar, é preciso reconhecer que tenho pressa. Tenho que ter pressa, se quiser estar segura de que pelo menos as partes que considero mais interessantes neste depoimento não ficarão de fora. Esta doença... Eu vou falar sobre a doença que eu tenho, não é câncer como você deve estar pensando, eu não sou do tipo que tem câncer, minhas células têm pouquíssimos motivos de revolta, notadamente em comparação com a maioria das pessoas. Câncer é a doença do reprimido, da libido encarcerada, da falsidade extrema em relação à própria natureza. As células traídas e frustradas então se rebelam, mandam emissários subversivos para todas as partes do corpo e geralmente vencem e destroem o organismo. Eu não tenho isso e, de certa forma, a minha é uma condição bem mais interessante do que câncer, pelo menos num aspecto. E mais condizente comigo, mais tchan. Mas depois eu falo nisso e depois conto mais histórias com detalhes, a doença pode não me dar muito tempo, há coisas que julgo básicas e que ainda não contei. Já dei uma ideia suficiente de como nossos dias em Porto Seguro não têm comparação, o que se imaginar é pouco.

  Não. Minto. Minto. Aliás, mente-se sempre, mesmo quando não se tem nenhuma intenção. Mente-se, mente-se o tempo todo e, que me desculpem a filosofia barata, a vida é uma mentira impenitente, renitente e resistente, e o único problema filosófico de fato é o suicídio. Estou pernóstica hoje, mas não minto sobre isso, ao contrário de praticamente todo mundo. *The world is but a stage*, não é assim que está no *Hamlet*? *The world is but a stage*, e eu, que não me considero melhor do que ninguém — mentira, mentira, me considero, claro que me considero, vamos ser democratas mas não vamos achar que todo mundo é igualmente dotado, porque não é —, estou desempenhando meu papel com um mínimo absoluto de veadagem psicanalítica, até porque considero Freud, além de mau-caráter, o gênio mais desperdiçado da História depois de Platão, aquele filho da puta, responsável pelo fascismo tecnocrata da *República*, babaca, devia ser castigado com uma encarnação perpétua como Ministro da Administração do Brasil. Babaca, eu não posso ler *A república* sem ficar com vontade de ir lá e esculhambar Sócrates, aquele veado sebento — isso era o que ele era, um veado sebento e burro, que não comeu Alcibíades, ora homem, creia, não comer Alcibíades, quem era ele para não comer Alcibíades, quando qualquer um de nós comeria? E que pentelho inominável, o que ele enche o saco do coitado daquele escravo no *Banquete* deixa a pessoa nervosa só de pensar em conviver com ele, Bernard Shaw tinha razão, mataram ele porque ninguém conseguia suportar sua presença encardidinha, perguntadeira, petulante e impertinente, devia ter mau hálito, Alcibíades precisa ser desagravado e viva Xantipa, grande mártir Xantipa. E, quanto a Freud, deixou essa herança desarvorada de falantes nebulosos e nervosos, que praticam seitas obscuras e dedicam as vidas à infelicidade palavrosa. Nunca provaram efetivamente nada e nunca geraram nada de aproveitável além de uns dois filmes de Woody Allen, mas estão aí para ficar, sempre estarão, como as cartomantes e videntes e conselheiros sentimentais. Ouvido de aluguel sempre teve um grande mercado, a Igreja tem sacadas geniais, vamos reconhecer, a confissão auricular foi uma delas. Freud não chegou a substituir isso, nunca será suficiente e, além do mais, não se pode perdoar o progenitor do maior acúmulo de asnices labirínticas jamais despejado sobre a humanidade e de bichas francesas que não entendem o que elas próprias escrevem e de alemães que acham que, pelo fato de terem palavras para designar condições, atos e situações que os outros não têm, entendem mais dessas coisas, um perfeito non sequitur, nada a ver o cu com as calças, alemão só entende de alemão, *Weltschmerz* é a puta que pariu Goethe, com quem, aliás, eu simpatizo, era um fodelão e morreu um velho safado, como devem ser todos os velhos, em vez de engolirem calados os papéis que os mais jovens, não se contentando em ser mais jovens, lhes impõem. Nada de conferência, que coisa, é incontrolável. Se eu fosse professora, seria linchada pelos alunos. Evidente que não retiro nada do que acabo de dizer, mas o objetivo que escolhi, depois de muito pensar, foi dar um depoimento pornográfico e provocar e espicaçar e encorajar e reassegurar homens e mulheres enfurnados em suas cascas de caracóis. Portanto, não tenho nada que ficar falando nisso, quero mostrar e argumentar, mas tudo num contexto pornográfico, quero ditar por-no-gra-fi-a, me agrada muito, quando eu consigo.

Minto, dizia eu. Minto quanto a Marina, minha aeromoça, que faço parecer a melhor transa de minha vida depois de Rodolfo, mas não é nada disso, não existe essa transa. Não existe a foda, só existem fodas. Minto, mente-se, eu minto, tu mentes, ele mente, nós mentimos, vós mentis, eles mentem. Sempre tive problemas com a mentira, mas também sou mentirosa, não há como escapar, *all the world* etc. Quantas mentiras, embora a maior parte, felizmente, apenas interpretativa, já não contei aqui e vou continuar a contar? Vão à merda, vocês todos mentirosos, mentirosos, a esmagadora maioria hipócrita e santarrona. Viva nós, os mentirosos à força, os conscientes. O Cristo não soube dizer o que era a verdade diante do Império Romano porque Ele próprio teve que mentir desde que aprendeu a falar. Não há como Ele não haver mentido, a não ser que vivesse isolado e sem falar desde o berço. Do contrário, nem teria chegado à idade da razão, quanto mais aos trinta e três que dizem que Ele viveu, querendo nos ensinar uma maneira de ser impossível de assumir. A quem tem, será dado; de quem não tem, será tirado! Expulsai os vendilhões do templo a chibatadas, oferecei a outra face para a bofetada! Crescei e multiplicai-vos, disse Javé, porém não fodais. Todo mundo sabe de gente que se castrou e muitos outros que passaram as vidas como se seus órgãos sexuais houvessem sido criados apenas para levá-los à tentação e ao inferno. Então é tudo uma permanente contradição, e todos são obrigados a mentir, tanto assim que, no diálogo geral, todo mundo sabe o que é mentira, mas definir com precisão é difícil, senão impossível.

    Portanto, era mentira que os tempos de Porto Seguro não tenham rival. E a vida não é um campeonato de futebol, em que a gente fica procurando o melhor, cada instante é um, comparar é impossível. Na verdade, minha vida tem apenas um denominador comum, que é o fato de eu tê-la dedicado basicamente à satisfação saudável de minha luxúria. Tenho orgulho, grande orgulho disso, como já devo ter deixado transparecer. Tudo em escala grandiosa assume grandiosidade. Creio firmemente que é o meu caso, não consigo vê-lo de outra forma, senão com orgulho. Agradeço muito a Deus, por Ele me ter dado a força, a determinação, a inteligência e a coragem para levar adiante o dom que recebi de nascença, digo isto com devoção, os burros não acreditam, os inteligentes veem logo que é verdade. Eu nasci com um dom que Deus me deu e honrei esse dom, diferente de muitos outros, talvez quase todos. Ele fez a parte d'Ele, e eu fiz a minha, como ordena o Livro. Então eu tenho esse denominador comum, que é muito forte, muito singular, até porque, se a maioria das pessoas é mesmo como eu, a imensa maioria dessa maioria nunca conseguiu fazer nem um milésimo do que eu fiz. Não, não há como comparar nada, todo tempo tem sua individualidade. Como este, que estou vivendo. Talvez, muitos anos atrás, se eu pudesse antevê-lo, achasse que viria a ser o melhor da minha vida. Talvez agora mesmo eu possa dizer isso, de fato achei uma solução irretocável para os problemas que uma pessoa sozinha, na minha idade, costuma encontrar. E então, na medida em que se pode dizer isto, eu sou feliz. Mas não esqueço que dinheiro ajuda muito, é mesmo indispensável como suporte e ferramenta, mas o mais importante é a imaginação. Curvemo-nos aos tempos e usemos suas palavras. Criatividade, palavra horrenda — por que não pudemos preservar "invenção", com as belas conotações que ela tinha, "engenho", tantas palavras boas mofando por burrice e colonização. Mas não adianta reclamar. Então digamos: criatividade e grana confortável facilitam muito. No meu caso, uma não funcionaria sem a outra, e estou muito satisfeita.

    Minha solução também dependeu um pouco de sorte, se bem que, se ela não tivesse aparecido, eu a encontraria por outro caminho.

Equacione isto. Eu, bem de vida, morando bem, vestindo bem, tudo muito bem, velha bonitona, gostosa e devassa, não querendo mais amantes fixos que me encham o saco — e é muito difícil achar um que acabe não enchendo — e vivendo na grande cidade do Rio de Janeiro, que é que eu faço, quando estou com vontade de uma transazinha expedita? Pego o jornal, acho um anúncio qualquer, telefono, encomendo um rapaz, uma moça, um rapaz e uma moça, qualquer combinação, tudo especificado, pago até com cartão de crédito. Nenhum problema, certo? Errado. Todo dia a gente lê no mesmo jornal a história de um veado velho e só, assaltado e assassinado por um garoto de programa, ou equivalente. Nunca, o veado velho e eu estamos na mesma situação básica. Uma boa paranoia, como eu acho que já lembrei, tem o seu lugar. Eu estava procurando uma solução, e aí ela caiu no meu colo. A maçã de Newton, *serendipity*. Eu tinha sido convidada para sair com um casal amigo meu, também baiano, mas morando aqui acho que até há mais tempo do que eu, e não queria ir, eles são meio chatinhos. Essas pessoas de que a gente gosta genuinamente, mas cuja convivência é soporífera, todo mundo se dá com gente assim, é como o chato a favor, todo mundo tem pelo menos um chato a favor, que a gente não pode mandar ir se catar porque é bonzinho e é a favor, faz tudo pela gente. Mas é chato e às vezes fica difícil de suportar. Aí eu não ia mesmo, mas, um dia depois de haver decidido isso, me surpreendi morta de tesão e sozinha em casa, repentinamente desprevenida e pensando sacanagem com tanta intensidade que ia acabar fazendo uma besteira, pegar alguém no supermercado 24 horas, qualquer coisa assim, eu me conheço, já fiz isso, é porque eu de fato dou muita sorte, meu anjo da guarda é ótimo, como se diz. E aí, meio de última hora, telefonei para eles e fui com eles ao Canecão e foi lá que encontrei outro casal, esse jovem. Um sobrinho deles e a namorada, uma garota muito simpática e bonitinha, com umas pernas e uma bunda provocantes e uns peitinhos engraçadinhos, que ela deixava ver de vez em quando, com muito charme. Eu parecia que tinha cheirado uma fileira, de tão ligadona em sexo que estava, e a sem-vergonha encostou o joelho no meu por baixo da mesa assim que as luzes se apagaram e ficamos numa bolinação sonsa o tempo todo. Eu não aguentava mais, minha vontade era arrancá-la dali na hora e levá-la para casa e comê-la toda minuciosamente, mas tive de me conter e, por via das dúvidas, sondei o rapaz, afinal podia vir a ser necessário pô-lo na transa também. Quando tive de prestar atenção nele, vi que não era feio, tinha uma boa cara e talvez ficasse inibido na companhia de uma mulher infinitamente mais escolada do que ele, que devia lhe pôr chifres escrotos rotineiramente. Sim, não era feio, era até bonito, e Algo me disse de estalo que ali tinha ouro. *Thars gold in them thar hills!* Curiosíssimo, é como o momento em que a gente adormece, não se pode lembrá-lo. A gente está na cama e cai no sono, não se dá conta da passagem pela fronteira, foi isso o que aconteceu com ele. Bateu-se-me cá o borbulhar do gênio, troquei de marcha como um piloto de Fórmula 1 e baixei a mão no pau dele. Baixei mesmo, nem pensei, fosse o que Deus quisesse. E, menino, a reação foi instantânea, parecia que eu tinha acordado um urso hibernado. Uma massinha antes murcha e informe desabrolhou como uma pipoca, e eu, enquanto o ídalo no palco sincronizava requebros vis com acordes igualmente desagradáveis, cerrei meus dedos no belo pau que já adivinhava em minha boca.

Encurtemos, *ars longa, vita brevis*, viva o grande Quintus Horatius Flavius, viva Roma. Eu... Não! Não vou falar sobre Horácio, não vou fazer outra conferência, silêncio! Ó vós, sombras soturnas das eras... *Speak, by heaven, I charge thee, speak!* Sim, os fantasmas devem falar, eu é que não devo falar agora. Falai, fantasmas. Fala o fantasma: na calada daquela noite de janeiro, em que na saída trovejava e chovia e relâmpagos arrojavam lampejos infernais sobre as almas inquietas que adejam acima do cemitério de São João Batista... Fala, fantasma, estamos atentos; não hesite, fantasma, de que pode ter medo um fantasma? Fala o fantasma, com sua voz reverberante. Ooooh, sim, naquela noite mesma comi os dois, comi os dois muito tempo, comi diversas outras vezes, gostei dele e terminei constatando que ela era um equívoco enfeitado, e me aliviei quando a família se mudou com ela para a Holanda, terra do pai dela, e nunca mais a vimos. Quanto a ele, Paulo Henrique, pode me chamar de Pigmaliona. Fui eu que o esculpi e fui eu quem pediu a Afrodite para que ele fosse exatamente o que eu queria, e Afrodite me atendeu, me deu meu Galateo. Eu creio que posso me considerar sacerdotisa de Afrodite, tenho prestígio com ela, um dia desses, se a doença não explodir em minha cabeça, como dizem que vai explodir, escrevo a biografia dela, sou conhecedora íntima.

Paulo Henrique. Ignorantíssimo, mas inteligentíssimo, até para perceber encantadoramente que é ignorante e usar essa condição como adorno. Riso fácil, jovialidade, vivacidade, alegria e, principalmente, talento, sensibilidade e aplicação. Quando o peguei, peguei uma forcinha da Natureza, um espírito silvestre, um exuzinho inocente e sôfrego, dentro de um homem alto, musculoso mas macio e todo bem-feito, todo como se tivesse sido projetado por um designer milanês como obra aberta, de leitura dependente de quem a encontrasse. E igual a um programa de computador, desses que você configura para sempre, porque armazena tudo em arquivos arcanos, que nunca ninguém abre e são obra obscura de algum programador que chega de bermuda a sua toca na Microsoft e aí passa o tempo todo feliz porque foi o autor do subprograma responsável pelo desabrochar de um iconezinho no canto da *status line*, esta é a obra dele, ele não pode ver aquele iconezinho sem dizer *Parla!* Era pedra-sabão, era a minha matéria-prima, tão bem moldável. E eu configurei ele, um programazinho de cada vez. E, de súbito, ao abrir os meus arquivos executáveis um belo dia, lá está Paulo Henrique, Deus seja louvado. Ele também leva a sério seu dom, me adora porque eu o ajudei a compreender como esse tipo de coisa funciona. Assumiu, virou meu executivo sexual, de uma forma antes insuspeitável. É realmente fantástico o que aconteceu, chega a parecer invenção, mas não é, é verdade, a vida é que parece invenção, a invenção é que tem que parecer verdadeira.

Creio que, entre outros benefícios que a publicação deste depoimento com certeza trará — e eu quero que traga e fico feliz com isso, gosto de ajudar o semelhante —, está também um serviço público que agora estou prestando. Vou contar o esquema que armei e que considero muito bem bolado. É um pouco elitista, ou bastante elitista, mas pode até ser adaptado a circunstâncias bem mais modestas. A primeira coisa que eu fiz foi criar uma firma, uma sociedade civil. Peguei o mesmo casal chato através do qual conheci Paulo Henrique e botei os dois como sócios somente para constar — eles nem perguntaram nada, assinaram logo, são grandes chatos a favor, e criei a firma. Em seguida, tirei Paulo Henrique do emprego na gerência de um posto de gasolina da Barra, onde ele ganhava uma merreca, e a firma alugou um quarto e sala bonitinho no Leblon, onde eu botei ele, porque não suporto a Barra, e a única hipótese de eu ir lá é se me levarem de ambulância ou camburão, tenho horror só de pensar, para mim os separatistas têm razão, eles devem mesmo bloquear aquela merda e continuar pastando em paz nos seus shoppings, que horror. Contratei ele como funcionário da firma e pago um bom salário. Não extraordinário, para não acostumar mal, mas o suficiente para que ele possa comprar as roupinhas dele, os CDs e outras coisas de que ele gosta, além de possibilitar que ele saia com as gatinhas dele sem muita preocupação de dinheiro, quero que ele tenha uma vida normal, e Deus nos livre de enchermos os sacos um do outro, isso é inadmissível. E, finalmente, a parte básica, eis que já vivi o suficiente para saber que seguro morreu de velho e confiar desconfiando é um lema sapientíssimo. Fiz um baita seguro de vida para ele, em dólar, e dei a apólice a ele. E, evidentemente, ele só recebe o seguro se eu morrer de causas naturais. Se houver qualquer dúvida fundamentada quanto à minha causa mortis, ele não recebe um tostão, pode ser até acidente de carro ou avião, para não falar no óbvio, que é assassinato. Expliquei a ele tudo direitinho, ele compreendeu e hoje tem uma preocupação enorme com minha segurança. Se eu quero encontrar alguém que não conheço muito bem, muitas vezes uso o apartamento dele. E ele geralmente está aqui em casa quando recebo alguém, discreto, mas visível. Gosto de crer que ele seria tão atencioso assim mesmo que eu não fizesse o seguro, mas não vem ao caso, indagação acadêmica. O fato é que tudo funciona maravilhosamente bem, ele ficou perfeito na cama e nunca nega serviço de qualquer tipo, arruma namoradas para a gente transar juntos, arruma homens, é um esquema primoroso, estou muitíssimo bem servida, tão sem problemas que parece sonho. Agora ele está querendo casar. Não sou propriamente contra, mas também não sou a favor, não vejo para que ele precisa casar. E sou insuspeita para falar, porque a menina é ótima, sem problemas, cuca fresca, como se diz. Se a gente está a fim, a gente transa, e ela, apesar de estar apaixonada por ele, diz que também é apaixonada por mim, tudo sem grilo. Mas é que eu não sei... Bom, não vou pensar nisso, não adianta.

E não quero dar a entender que tenho ciúme. Achar isso, a esta altura de uma vida como a minha, é uma ofensa grave, mas as pessoas tiram conclusões, geralmente baseadas em sua própria maneira de ser, e isso me irrita, ficaria com vontade de dar porrada em quem dissesse que eu estou com ciúme. E, veja você, também sou apaixonada por Paulo Henrique, mas minha paixão não é doente, como costuma acontecer. Já nasci assim e me aperfeiçoei conscientemente. Nunca me deixei engabelar por essas baboseiras que nos impingem como fazendo parte da natureza humana. Não se pode estar apaixonado por duas pessoas ao mesmo tempo, meu Deus, quanta gente morreu e morre todos os dias por causa desse dogma babaca, que é tão arraigado que a pessoa, homem e, principalmente, mulher, que está ou é apaixonada por dois ou três entra em conflitos cavernosíssimos, se remói de culpa, se acha um degenerado, não confessa o que sente nem às paredes, impõe-se falsíssimos dilemas, se tortura, é uma situação infernal e cancerígena, todo mundo lutando estupidamente para ser quixotes e dulcinéas. É o atraso, o atraso! Em tese, somos capazes de nos apaixonar por tantas pessoas quantas sejamos capazes de lembrar, o limite é este, não um ou dois, ou três, ou quatro, ou cinco, ou dezessete, todos esses números são arbitrários, tirânicos e opressores. Tá lá o meu fichário apaixonativo, com o perfil do que eu acho atraente, que é bastante vasto. Entrou novo contato, perfil aprovado, eu posso me apaixonar por ele. Hoje eu estou altamente informática. A superstição perniciosa generalizada é que é preciso deletar o anterior, para aceitar o novo. Que pobreza, que pobreza, que pobreza, que atraso! Se a memória aceita, se o perfil confere, se a senha foi dada, roda os dois programas ao mesmo tempo, roda os três, roda os vinte, porra! Minimiza um, roda embaixo o outro, exporta um arquivo pra lá, outro pra cá, a informática é muito educativa, para que os débeis mentais que tanto pontificam e nos abalam com suas besteiras compreendam que os processos mentais que consideram sublimes e prova da existência de Deus são meras linhazinhas de comando de rotina no DOS do cérebro, o buraco e abissalmentissimamente mais embaixo. Claro que a paixão nova, no primeiro momento, mobiliza muito o apaixonado, que tende a ficar cego para os outros arquivos e aí, na maior parte das vezes, o entulho burro começa a aporrinhar, o camarada foi treinado para não achar aquilo certo, tem que deletar o arquivo em uso, não sei o quê. A analogia informática continua certeira, é como um programa novo, um brinquedo novo. Mas depois a gente abre o arquivo mais antigo, é bom, reaviva, estimula, meu Deus, por que erigimos empecilhos absurdos e destrutivos da beleza da Criação, os arquivos podem conviver na maior paz; clica, ele abre, tudo pronto para o deleite de todos e o cumprimento cioso quão alegre da sina! O limite é a memória! E quantos gugóis de bytes não temos na memória? Nunca vamos usar nem um zilionésimo, por mais que vivamos e abertos sejamos. Por conseguinte, minhas paixões não são doentes, convivem perfeitamente bem e é por isso que não morrem como as outras, só morrem quando eu deixo de regar, porque resolvi deixar de regar. Mas as pessoas se sentem obrigadas a deixar de regar, é uma merda, esculhamba tudo, cancerígeno, cancerígeno. Sou apaixonada por meu irmão Rodolfo, sempre serei, apaixonada pela minha aeromoça, apaixonada por Fernando, apaixonada por Paulo Henrique e Tânia, a moça com quem ele quer casar, por todo mundo por quem me interessa apaixonar-me, pois meu manejo da paixão me dá grande liberdade, eu posso botar o tempero da paixão em qualquer transa, sem culpa, sem apreensões ridículas. E todo mundo que sofre e vai ter câncer por isso pode fazer como eu, que desperdício, meu Deus, que genocídio. Tatatá, ta-ta-tá. Não se pode amar duas pessoas ao mesmo tempo, bah-bah-bah, duh-duh-duh-duh. Corolários múltiplos, és um filho da puta se pensas o contrário, mesmo que saibas que o contrário é a verdade que vive no peito e na cabeça. A paixão é simplesmente a tesão formatada, será que jamais isto será compreendido, será que ficaremos sempre algemados com a chave na mão? Meu Deus, dai força a vossos mártires, ao penosíssimo testemunho de nossa fé e à perseverança no exercício de nossa inteligência.

A formação dele foi impressionante. Magnífico aluno, professora genial. Como já contei, peguei matéria bruta. Ele não sabia trepar, não tinha compreendido nem aspectos relativamente elementares, tais como a desnecessidade de ficar agindo como se o pau fosse um pistão com arritmia e caprichando em estocadas, quando todo bom homem sabe que, no ramerrão satisfatório, basta ele se encaixar e ficar indo e vindo em movimentos suaves, quase imperceptíveis, quase como o amortecedor de um Rolls-Royce; estocada tem seu lugar, mas como efeito especial, como componente de um determinado cenário, como um solo de jazz improvisado, nada de prática habitual. E ele tinha ejaculação prematura, que ataquei logo com Masters e Johnson, funciona. Novo serviço público, redivulgação de uma técnica inexplicavelmente esquecida. O candidato se desmancha em ejaculações assim que penetra. No começo, tudo bem, mas depois enche o saco. Que fazer, se o candidato vale o esforço? Consultem o Masters e Johnson para maiores detalhes, mas o básico eu posso transmitir. Criem um clima de sacanagem. Clima criado, fiquem nus. Ficados nus, toque uma punheta nele e peça que lhe avise, na hora em que estiver prestes a gozar, ou seja, daí a quatro segundos. Quando ele avisar, pare a punheta imediatamente e aperte o pau dele pela base. Funciona, é difícil de acreditar, mas funciona, nem requer muito know-how. Paulo Henrique reagiu belamente ao tratamento, hoje goza na hora em que quer. Eu digo "goze!", e ele goza, é perfeito, ele agora se sente muito mais seguro, com muito mais poder, que maravilha uma bela esporrada, nisso eu tenho um tantinho de inveja dos homens, que riqueza simbólica insuportável há numa esporrada, como o homem pode explorar bem isso para o seu deleite, como as mulheres gostam, como é bom saber que se está sendo magicamente irrigada, que coisa mais lindamente atávica, é bom ser bicho. Para mim, sem esperma derramado, não existe sexo com homem, a camisinha é uma castração fundíssima, é uma privação cruel para as mulheres.

Mas evidente que a moldagem não ficou nisso, foi total. Ele era um homem completo e não sabia, certamente nunca viria a saber, se não me conhecesse. Ele hoje curte tudo o que eu curto, aprendeu com rapidez e entusiasmo. Só tinha tido, por exemplo, umas experiências homossexuais na infância, cuja memória aprendeu a reprimir e, na adolescência, tinha comido umas três vezes um médico que lhe deu dinheiro, fato que ele só me contou depois de muita conversa persuasória. Usei a mesma técnica consagrada que eu e muitas outras mulheres, muitas mulheres mesmo — ah, se eu tivesse estatísticas, que sustos não tomaríamos —, usamos, e que já descrevi. É só livrá-lo, com paciência e compreensão, da insegurança em permitir que acordemos nele sentimentos já tão represadinhos que parecem mortos. Decepcionar-se com ele, com moderação, discrição mal disfarçada, uma trombinha ou uma palavrinha eventual ou outra, porque ele acha ótimo que você transe com outra mulher, mas não admite para ele nenhuma forma de relacionamento com outro homem, seja moço, seja velho, seja dando, seja comendo, seja apenas pegando. Portanto, considera você inferior, mas na verdade você deixa claro que o inferior é ele. Enfim, vão se dando os reforços e sanções certos, tipo Skinner mesmo, até que um dia pinta. Se não pintar, é porque ele não vale a pena, a não ser que se queira continuar a ser fiel a um bestalhão impenitente, muito aquém da gente em versatilidade e sensibilidade. Enfim, um sensaborão limitado, destituído de verdadeiro atrativo. Mas isso é comparativamente raro, soube de muito poucos fracassos nessa área. Quando ele sente que a mulher é sincera, ele embarca. E a adesão de uma boa amiga, que ele queira comer ou cuja opinião ele respeite, é fácil de obter e às vezes é a espoleta. Eu mesma, há séculos, já dizia coisas como "nós duas tínhamos muita vontade de trepar com você, mas agora, que você se revelou esse homenzinho, perdemos a vontade", ganhei muitos assim, ou mais ou menos assim. "Quer dizer que, no fundo, você se considera superior a Fernando, porque ele pegou no seu pau sem exigir reciprocidade, e você quer que a gente ache você gostoso por isso, quando é revoltantemente o contrário?" E eu dizia isso com sinceridade mesmo, não mantenho a tesão em homem que não faz pelo menos tudo o que eu faço, chega de caretice, a vida é curta. Só tem é que cumprir. Se você diz uma coisa dessas e ele adere e você não lhe dá logo recompensas e reforços generosos, é uma sacanagem, tem de atentar nisso no começo, tem que ajudar os pobres nos primeiros passos, depois eles pegam embalagem. Para muitos é difícil, é preciso dar muito apoio. Mas, quando ele adquire certeza de que as mulheres em torno estão é a fim de sacanagem e não de ficar julgando que ele é isso ou aquilo porque transa com homem, antes muito pelo contrário, ele embarca e é muito mais feliz, e as mulheres muito mais felizes. As mulheres transmitem sinceridade nessas ocasiões porque estão de fato sendo sinceras e às vezes até ficam ansiosas, descobrem que precisam de uma coisa da qual antes não tinham plena consciência, descobrem que foi metido na cabeça delas, por interessados, que, por alguma razão explicável, transa entre duas mulheres é "mais bonitinho". Pode ser para muitos, mas para outros tantos não é. Para os normais é tanto quanto, embora diferentes, ambas estética e sexualmente curtíveis. Por que é bonito uma mulher transando com outra e nunca um homem transando com outro? *All in the eye of the beholder*, tudo está no olho de quem vê, é claríssimo, e fizeram os olhos dela e aí um belo dia dá-se que ela descobre que adoraria ver o homem dela penetrando outro homem, preferivelmente um homem que ela também pudesse ter, ou não, ou vice-versa, ou vice do vice da versa do verso da vice, cada uma é uma coisa, viva a diversidade biológica e cultural. Sejam sinceras, pensem nisso sem filtros babacas, olhem umas fotos de homens machos se enrabando e se chupando, claro que é um barato a que vocês têm direito, principalmente aquelas fotos em que está com pinta de veado clássico, mas simplesmente um homem enraba o outro de frente, um de pernas para cima e o outro, ao meter fundo, obrigado a roçar a barriga no pau do que está sendo enrabado, ambos se olhando ou de olhos fechados, é lindo, mentira de quem diz que não é lindo, senso estético distorcido e atrofiado, assim como os veados do tipo de *Father* Bill, que se imunizaram contra a beleza de uma xoxota. Por que há tanto mercado para essas fotos, muito mais do que o mercado gay reconhecido? Por que que há tantos prostitutos, cada vez mais?

Porque as pessoas estão podendo ter cada vez acesso mais fácil e daí a pouco, se houver progresso, vão parar com intermediários e agir diretamente, nada de arriscar ser assaltado na rua, levar um amigo para casa e se comerem os dois, a mulher participando ou não, mas provavelmente sim, eis que ninguém é de ferro e deve ser assim, porque dificulta a ação dos entulhos neolíticos. Se você for olhar, a maioria dos veados superiores continua veada, mas fez ou faz filhos, não tem medo de xoxota, só prefere outra coisa, podendo escolher. Perfeito, única atitude sadia, entre veados e sapatonas superiores. Entre homens e mulheres superiores, é a norma. Muitos veados e sapatonas que eu conheço não tiveram filhos por relaxamento, não por ojeriza. Foram adiando, adiando e aí ficou tarde e também não era uma coisa imperiosa, como não é entre muitos dos chamados héteros puros — espécie esquisitíssima, quanto mais eu penso, mais eu acho que não existem, são unicórnios. Agora resumo minha tese explicitamente. Claro que não estou dizendo novidade nenhuma, nada do que se diz é novidade, especialmente isto, muita gente já disse isto, sou apenas uma vulgarizadora veemente. Heterossexualíssimo exclusivo, limitação. Homossexualismo exclusivo, limitação. Bissexualismo, normal, tanto assim que na infância desperta em todos e todas, sem exceção. Pansexualismo, o futuro, se até não acabarmos como espécie, por força de vícios de origem que só fizemos piorar e jogarmos fora a chance de universalizar a força agregadora do amor. Não duvido nada que um físico quântico, desses que ficam malucos porque não sabem explicar com os termos deles aquilo que não dá para explicar com os termos deles, ou nem sequer explicar, venha a adicionar, se não já adicionou, o conceito de amor romântico à física das partículas, não adicionaram sabor, cor, não sei o quê? A exclusividade — os exclusivos inteligentes e sensíveis sabem disso, e os que não saem dessa situação deprimente é porque não encontraram ajuda — é no mínimo medíocre e espoliativa. A mesma técnica de despertar a consciência deve ser aplicada nos casos, bem menos fáceis de achar, em que a mulher resiste seriamente à ideia de ir para a cama com outra mulher, nesse ponto as mulheres se beneficiaram do machismo que mitificou as transas entre mulheres e lhes conferiu um status estético fajuto, muito superior ao do homossexualismo masculino. Tanto isso não é natural que durante muito tempo acontecia o contrário, acontecia na Grécia, acontecia em Roma, antinatural uma conversa, empulhação conciliar, broxura calvinista, veadagem anglicana enrustida, tudo isso e o resto que conhecemos. As mulheres, mesmo as mais quadradinhas, há muito tempo se livraram das culpas por haverem transado com amiguinhas na infância, nem lembram, a sociedade faliforme não dá a menor importância a essas coisas, não são nem transgressões interessantes.

Nada disso, na verdade; foi apenas outra conferência, elas me pegam desprevenida. Eu apenas queria mostrar como arrumei esse esquema invejável com Paulo Henrique e como fiz dele um homem completo. Já tinha contribuído para muitos casos desses, continuo a contribuir, até com a ajuda dele, mas ele foi total, foi realmente uma escultura. Não tive um filho, mas tive algo de mais meu, duvido que alguém pudesse ter feito de um filho o que fiz dele, nunca. Já era obra para encerrar minha vida. Mas, felizmente, minha vida não se circunscreveu a isso, foi dedicada mesmo a uma missão, e eu levei essa missão a consequências possíveis e impossíveis, com uma dedicação que nunca esmoreceu. Eu fiz o bem a muita gente, muita gente, e cheguei ao ponto de dizer isto sem orgulho, apenas com contentamento. Eu já falei muito em Deus aqui, fica difícil dizer que alguém acredita tanto em Deus e fala tanto em sacanagem. Minha resposta é como se eu dissesse: "Desculpe, assim não dá para conversar". Eu serei então a voz de Satanás, sem dúvida. Mas, não, lamento dizer-lhes; lamento mesmo, porque sei que isto vai fazer muitos sofrerem mais do que no inferno, mas eu sou a voz de Deus. Não só porque a voz da luz e da inteligência é a voz de Deus, mas porque sou mesmo a voz de Deus. Não sou profeta, muito menos o Messias, mas sou a voz d'Ele como na teofania do livro de Jó — onde estáveis, quando Ele criou as fêmeas e os machos e lhes deu cada centelha de desejo cego um pelo outro e lhes deu como misturar-se livremente uns com os outros? Onde estáveis, quando Ele criou todos os mistérios que levam ao Desejo e à tesão e tornam sublimes os abraços? Onde estáveis, quando Ele criou as ânsias imortais que agora forcejais por sacrilegamente abafar e matar? Onde estais, depois que Ele vos deu o poder do prazer inocente e agora cuspis nesse poder e pretendeis que vossas palavras valham mais que as d'Ele?

Eu não sou a voz de Satanás, Satanás odeia a Luxúria, não é invenção dele, assim como a Bondade. Tanto uma quanto a outra, Satanás usa solertemente para seus fins malévolos. Eu sou a voz de Deus, sou uma das vozes de Deus, e não estou maluca. Ou por outra, posso estar como qualquer um pode estar, o que faz com que a palavra perca o sentido. Seria o caso de perguntar que religião estranha é esta, que eu professo. Eu mesma não sei. Professar, professar mesmo, acho que não professo nenhuma, detesto religião organizada, qualquer que seja ela. Agora estão organizando até candomblé, é uma praga, a religião mais lindamente desorganizada do mundo e agora eles querem cobri-la de regras. Já li o *Livro dos espíritos*, achei que ia achar um bestialógico, mas não achei nada disso, pelo contrário, gostei muito, mas também não sou propriamente espírita e acredito que deixaria um bom espírita chocado, se dissesse a ele que a principal razão por que quero reencarnar é que na outra encarnação eu planejo comer quem por bobeira deixei de comer nesta. Também penso nisso, quando vejo ali meus budas. Não deixa de ser verdade, embora talvez não seja a principal razão. Não há a principal razão, na realidade eu não quero reencarnar, acho essa obrigação um saco. Não, eu não queria reencarnação, acho que, não posso compreender como, continuo católica, do jeito que fui criada. E você veja, sempre honrei Seu Santo Nome, embora nunca tenha aceito o magistério da Igreja. E nunca blasfemei, jamais saiu de minha boca uma blasfêmia, uma queixa contra Ele, só louvor. Minha doença mesmo, minha doença, antes que ela me acabe e ninguém saiba o que fui. É um aneurisma no meio do cérebro, inoperável. Sempre esteve aí, só soube faz algum tempo. No começo, me assustei, mas não levei dois dias assustada, achei que será uma boa morte, provavelmente rápida. Já deixei instruções para doarem o que puder ser doado e tocarem fogo no resto e socarem as cinzas onde quiserem.

Mas não era uma boa razão para eu me maldizer e blasfemar? Ser avisada de que, a qualquer dia, a qualquer hora, dormindo ou acordada, minha cabeça pode explodir em sangue? Claro que não, morre-se de algum jeito, e considero o meu bom. Não seria tão bom se eu seguisse as prescrições, mas eu não dou a menor importância a quase nenhuma delas, ajo como sempre agi minha vida toda. Blasfemo nada, até agradeço. Faço tudo que me dá na cabeça, não quero saber de limitações. Eu não pequei contra a luxúria. Quem peca é aquele que não faz o que foi criado para fazer. E eu fiz o que Ele me criou para fazer. Não quero entender nada. Quero acreditar, mas não posso ter certeza, não se pode ter certeza de nada, que Deus me terá em Sua Glória e sei que Ele agora está rindo.

2ª EDIÇÃO [2018] 9 reimpressões

ESTA OBRA FOI COMPOSTA PELA ABREU'S SYSTEM EM ADOBE GARAMOND
E IMPRESSA EM OFSETE PELA GRÁFICA PAYM SOBRE PAPEL PÓLEN BOLD
DA SUZANO S.A. PARA A EDITORA SCHWARCZ EM FEVEREIRO DE 2025

A marca FSC® é a garantia de que a madeira utilizada na fabricação do papel deste livro provém de florestas que foram gerenciadas de maneira ambientalmente correta, socialmente justa e economicamente viável, além de outras fontes de origem controlada.